... ET TOUTE
MA SYMPATHIE

FRANÇOISE SAGAN

... ET TOUTE
MA SYMPATHIE

JULLIARD

© Julliard 1993.
© Hermann, 1985
pour le texte « Lettres d'amour, lettres d'ennui —
George Sand-Alfred de Musset ».

ISBN 2-266-06167-4

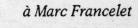

à Marc Francelet

Ava Gardner

Je pourrais juste dire qu'elle était belle, et seule, et généreuse, et qu'elle aimait rire parfois.

Ce n'est pas moi en réalité qui devrais prononcer cet éloge funèbre, même s'il est vrai qu'Ava Gardner et moi-même nous soyons rencontrées, parlé, amusées, même s'il est vrai que nous ayons partagé des après-midi oisives, des nuits blanches et des petits scandales, des points de vue et des fous rires. Bref, que nous ayons été un peu complices pendant un mois il y a belle lurette, lorsqu'elle tournait *Mayerling* avec l'exquis Omar Sharif, supposé être son fils dans le film, et qui dans la vie lui portait un dévouement tout paternel, celui qu'elle inspirait aux hommes qu'elle ne saccageait pas. Malgré cette brève, si

11

superficielle mais pour moi si réelle rencontre, j'imaginais, pour suivre sa dépouille mortelle, le chœur de ceux qui avaient suivi son corps vivant, j'imaginais beaucoup de voix masculines murmurant des mots usés et passionnés : «Qu'est-ce qui t'a plu en moi? Pourquoi m'as-tu quitté? Pourquoi ne m'as-tu pas cru? Pourquoi m'avoir dit tout ça?», etc. Un concert de voix masculines à la fois nostalgiques et incompréhensives dans leur passion, comme le fut son public d'ailleurs dans son admiration, car Ava Gardner était une autre. Elle était plus belle que ses rivales, plus amorale et plus désinvolte aussi. Et elle était plus seule que toutes.

C'était un animal très beau et très digne de ce fait, et très étranger. Elle n'offrait aucune solution, aucun avenir, aucune explication à ses amants, car sa beauté soulignait le divorce parfois pas évident au cinéma entre sensualité et vulgarité.

Et de même sa carrière était inexplicablement

paradoxale : ni déchue, ni glorifiée, ni vraiment portée aux nues, ni vraiment reconnue dans son milieu, elle était l'actrice dont la beauté primait sur le reste et n'évoquait qu'elle-même.

Sa beauté ne l'emprisonnait pas comme Bardot, ne la blessait pas comme Marilyn Monroe, ne l'affolait pas comme Garbo. Sa beauté était là avec elle, tranquille. C'était pourquoi les femmes aussi l'aimaient bien, parce que nulle femme ne l'imaginait au foyer, que nulle ne lui en voulait de ne pas y être ; et que de même nul homme ne l'imaginait fidèle, même si certains se désespéraient, car contrairement à toutes ces comédiennes dont la foule suivait les amours, les mariages, les accouchements avec sentimentalité (ces femmes que l'on retrouvait devant des cuisinières ou devant des cliniques), on ne retrouvait Ava Gardner qu'entourée de valises, avec, portant ces valises, un nouvel amant.

A force d'être nombreux, ceux-là ne faisaient plus figure de victimes, et on attribua ces amours à d'étranges déviations : le goût de la dérision pour Mickey Rooney, le goût de la mort pour Dominguin. En tout cas, elle n'apparut jamais comme la moitié de quelqu'un, on ne l'imagina jamais attachée ou frappée par la condition féminine. Elle se promenait, à travers sa célébrité et ses passades, avec une sorte d'indifférence, une sorte de recul aussi rare que son physique. C'est peut-être pour cela que les femmes l'aimèrent et supportèrent son insouciance.

C'est pour cela aussi peut-être que *La Comtesse aux pieds nus*, le seul film où elle ait joué un rôle qui la représentait, où elle joua sa propre mort, fut aussi le seul film où elle sembla jouer la comédie. Car le cinéma, la caméra, les obsessions et les miroirs qu'ils promènent avec eux n'étaient pas son fort. Je la vis aborder le tournage de scènes tragiques en souriant, en mettant son chapeau de travers sur la tête, en envoyant des clins d'œil, je la vis aussi s'endormir sur le sol, parce que la mise en scène était trop lente (elle fut d'ailleurs dans ces scènes admirablement belle et superbement ailleurs). Je la vis bien plus concernée par un orchestre de Tziganes qui jouait faux ou par un maître d'hôtel abject, ou par un président de compagnie trop hypocrite : ses agacements, je dois le signaler, se traduisaient par des nappes tirées, des tables renversées, des présidents-directeurs vidés d'un taxi, ou par des disparitions interminables. Je vis des banquets en son honneur où elle ne vint pas, je la vis marcher dans la rue des nuits entières, je la vis réfugiée dans des silences orageux, mais ce n'étaient pas les caprices d'une star que je regardais, loin de là, c'étaient les sursauts d'un animal prisonnier que l'alcool délivrait souvent, bien sûr, pas toujours, je dois le dire, pas assez si je me rappelle la profondeur de ses chagrins muets. On jura de se revoir, on ne se revit qu'une fois, en effet, dans un aéroport, je crois, en tout cas dans un endroit bourré de gens qui nous laissèrent nous apercevoir, échanger un regard, d'abord étonné, puis ravi, puis l'instant d'après, lorsque nous ne nous aperçûmes plus, nostalgique. Du moins, j'espère, le sien le fut comme le mien. Quelqu'un me fit, bien sûr, remarquer qu'elle avait beaucoup changé. Mais je n'étais pas d'accord. C'était toujours ce port de tête orgueilleux, ces yeux froids et mélancoliques, et cette bouche si ferme, autant dans ses refus que dans ses appétits. C'était toujours cet animal hautain et mystérieux, qui ne me donna d'explications qu'une seule fois : en me racontant un soir qu'elle avait passé son enfance et son adolescence entre un père qui bêchait les champs et une mère qui lavait le linge du matin au soir et du soir au matin, qu'elle n'avait vu que leur dos pendant quinze ans, et que depuis, elle ne supportait plus de voir le dos de qui que ce soit. Ce «qui que ce soit» fût-il occupé lui-même à lui écrire un contrat fabuleux. Non, il lui fallait un visage, un regard, une voix posée sur elle, comme il en faut à chacun de nous, sauf que, chez elle, c'était indispensable et désespéré. Bien sûr, elle croisa bien des regards, et toujours ce fut elle qui les quitta, mais peut-être s'en détourna-t-elle la première par mauvaise foi ou pour les devancer ! Qu'importe ! Qu'importe la vérité dans son cas. La vérité n'est nécessaire que pour les faibles ou les prudes, ce qu'elle n'était pas. Qu'était-elle d'ailleurs ? Plus j'y pense, moins je me le rappelle, moins je le sais. Je pourrais juste dire qu'elle était belle, et seule, et généreuse, et qu'elle aimait rire parfois. Je pourrais dire qu'elle était de ces gens qui font de notre vie parfois une sorte de paysage poétique, mais dont on a le sentiment qu'elle est pour eux un désert d'amertume, de ces gens primitifs ou décadents, dont on ne sait où ils vont, et qui sans doute ne le savent pas eux-mêmes, tant ils sont ligotés par la nature. Et, dans le cas d'Ava Gardner, par leur beauté intrinsèque. Et donc au demeurant dont la destination importe peu, tant ils ont de grâce et d'éclat quand on les croise. Et tant ils traînent de rêveuses questions après sur leur passage, à la suite de leur démarche hasardeuse et inimitable.

Cajarc au ralenti

Il est très dangereux de parler de son pays natal parce que cela correspond à parler de son enfance, et que les écrivains sont en général attendris aux larmes par le souvenir d'eux-mêmes enfants, et que perdant toute pudeur et tout humour, ils ont tendance à se décrire sauvages et sensibles, délicats et fermés, violents et tendres, etc. — exception faite de Sartre et de Proust, bien entendu. D'autre part, que pouvais-je faire d'autre ? Expliquer que le Lot, où je suis née, est un pays pauvre, où les causses de pierres succèdent aux causses de pierres, ne s'ouvrant à regret que pour laisser la lente glissade du Lot ; expliquer que le maïs, le tabac et la vigne en sont les grandes ressources, et que, trois siècles aupa-ravant, un roi anglais y régna à la place du roi de France, tout cela me paraissait bien fastidieux.

De plus, je me serais sûrement trompée : on n'a pas de notion objective, qu'elle soit économique ou historique, de son pays, on a des souvenirs de vacances, de famille, d'adolescence, d'été.

Les Causses, pour moi, c'est la chaleur torride, le désert, des kilomètres et des kilomètres de collines où seuls émergent encore des ruines de hameaux que la soif a vidés. Les Causses, c'est un berger ou une bergère qui passe ses journées solitaires avec ses moutons, et dont le visage est gris, de la couleur de la pierre, à force de solitude. C'est aussi les quelques fermes où l'on débarque, les soirs de chasse, et où l'on boit un vin nouveau généralement imbuvable. C'est l'extraordinaire tranquillité d'esprit, l'extraordinaire et fréquente gaieté de ces solitaires perpétuels. Les Causses, c'est les mouches qui se posent sur les naseaux du vieux cheval que je monte et qui n'en peut plus de chaleur, lui aussi. Les Causses, c'est l'impression fantastique, rassurante que la France est vide.

En bas des Causses, c'est le village qui s'appelle Cajarc, où mes arrière-arrière-grand-mères et ma mère sont nées ; le même village qui fut à l'honneur il y a dix ans lorsqu'un futur président de la République vint s'y installer, et qui a depuis retrouvé son anonymat. Dans ce village, pour moi, sommeillent cent «flashes» :

J'ai quatre ans. Mon frère a gagné une bouteille de mousseux à la foire ; le bouchon saute et le mousseux roule dans le rebord du chapeau de la vieille tante Louise qui pousse des cris affreux. J'ai six ans, et avec un galopin du village, nous jouons à cache-cache dans les maisons abandonnées qui forment la vieille ville, maisons où nous ne nous réfugions que pour ressortir aussitôt, comme épouvantés par des ombres. J'ai huit ans, le soir on fait le tour de ville, environ six cents mètres, des heures entières. Dans l'ombre, deux ou trois silhouettes inconnues que deux tours plus loin, sous un lampadaire, on s'empresse de reconnaître et de saluer. Les chauves-souris zèbrent l'air, piquent vers le clocher, reviennent au ras du sol. J'ai dix ans, la guerre est finie, et dans l'armoire de ma grand-mère, il y a toute une planche réservée aux saucissons de l'année. A l'automne, on fait les vendanges et comme tous les enfants, nous buvons le moût frais et sucré qui sort du pressoir devant la porte, et nous sommes malades toute la nuit. J'ai treize ans, et le 14 juillet, devant le monument aux morts, pendant que le maire répète le même discours que l'année dernière, je regarde le nom de mon oncle sur le pan 14-18 et je me crois obligée d'avoir de la peine. J'ai quatorze ans, et dans le grenier, je cherche désespérément des livres jaunis, des récits de Claude Farrère, des histoires sentimentales ou scabreuses que je cache dans ma chambre. Les orages sont violents dans le Sud-Ouest; il y a des après-midi entières de pluie.

J'appuie mon visage à la fenêtre, je me dis que je ne grandirai jamais, que la pluie ne cessera jamais. Je n'ai plus envie de jouer à cache-cache, j'ai envie au contraire de me montrer, mais il me semble que personne ne me regarde. J'ai quinze ans. Je suis devenue «la Parisienne»; je m'en sens fière et honteuse à la fois et le jour de fête, sur le Foirail, j'espère anxieusement que le fils du quincaillier ou celui du boulanger m'invitera «quand même» à danser. Et puis j'ai dix-huit ans, dix-neuf ans. Je reviens de temps en temps, et je suis toujours la petite-fille de Mme Laubard, «vous savez, celle qui écrit des livres». Au demeurant, pas grand monde ne les lit et ma grand-mère est plus plainte qu'enviée.

24

A présent que je suis libre d'y venir et d'y rester, et que le mot «vacances» n'a plus cette résonance d'obligation, je reviens souvent dans ce pays, et je l'admire. Il y a ces Causses interminables qui passent, le soir, du rose au mauve, puis au bleu nuit. Il y a cette vallée si verte coupée d'un fleuve si gris, ces cyprès bordant les ruines, ces maisons aveugles entourées de murs de pierres empilées que personne ne respecte; il y a la nonchalance, la tolérance de ses habitants; il y a l'esquive étonnante de toute cette région devant le tourisme, la télévision, les autoroutes et l'ambition. Il faut des heures et des heures pour y parvenir, et si l'on n'y est pas né, l'on s'y ennuie. Les quelques atrocités apportées par le progrès ou les étrangers sont vite absorbées, jetées ou amalgamées au reste. Ce pays n'a pas changé. Je n'y retrouve pas une enfance détériorée, j'y retrouve une enfance exemplaire qui introduit dans ma vie une sorte de temps au ralenti, le même temps au ralenti que j'y passais jadis, un temps sans cassure, sans brisure et sans bruit.

A six heures, je m'assieds sur les marches de pierre, devant la maison; je regarde passer les gens, qui me parlent, les chiens, qui s'allongent parfois près de moi, je regarde tomber le jour, surprise — voire scandalisée — si une voiture immatriculée d'un autre numéro que 46 traverse la route. De l'autre côté de la rue, je vois toujours le vieux puits où nous allions chercher l'eau, petits, dans des brocs, matin et soir, et où une ou deux vieilles femmes s'échinent encore. La pompe grince, bien sûr, et très souvent l'horloge de l'église s'embrouille et sonne trois ou quatre fois la même heure, mais personne ne s'en soucie vraiment. Les réverbères commencent à s'éclairer, halo jaune tous les cent mètres ; les chauves-souris reprennent leurs glissades interrompues ; deux passants se pressent pour le repas du soir ; je commence à avoir froid et faim. Je me lève, je rabats la porte sur la rue tranquille. Demain sera un jour pareil à aujourd'hui.

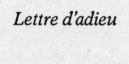

Lettre d'adieu

Puisque nous ne nous aimons plus, puisque tu ne m'aimes plus en tout cas, je dois prendre des dispositions pour les funérailles de notre amour. Après cette longue nuit, chuchotante, et étincelante, et sombre que fut notre amour, arrive enfin le jour de ta liberté.

C'est alors que moi, restant seule propriétaire de cet amour sans raison, sans but et sans conséquence, comme tout amour digne de ce nom, moi propriétaire cupide, hélas, qui avais placé cet amour en viager — le croyant éternel puisque te croyant amoureux —, c'est alors que je décide, n'étant saine ni de corps ni d'esprit, et fière de ne pas l'être, je te lègue :

Le café où nous nous sommes rencontrés. Il y avait Richard avec moi et Jean avec toi, ou le contraire. Au coin de la rue d'Assas et de la rue de Rennes, nous nous sommes vus, évalués et plu. Tu m'as dit : «Je vous connais sans vous connaître. Pourquoi riez-vous?» Et je te répondis que je riais de cette phrase idiote. Après, tu me regardais, l'air penché; et mystérieux, croyais-tu. Que vous êtes bêtes, vous, les hommes, et attendrissants à force!

Une femme vous plaît et vous jouez aux détectives. Que vous cache-t-elle? Alors qu'elle ne rêve que de se montrer à vous.

Engourdies, délirantes et seules,
Des femmes rêvent dans Paris,
Avec des regards d'épagneul,
et des mimiques de houri.

Ils partirent, Richard et Jean, nous laissant là. Tu pris ma main ou je pris la tienne. Je ne sais pas la suite. L'amour, c'est tellement ordinaire. Je passe sur la nuit.

> *Beau, tu étais beau,*
> *Derrière toi bougeait le rideau*
> *Fleuri de la maison de passe.*

Tu me disais «Pourquoi pas avant? Pourquoi jusque-là? Pourquoi ce vent?»

Passons. Il faut passer; j'ai tant de choses à te léguer. La première maison, ce n'était rien. Nous n'habitions nulle part, nous habitions la nuit. A force d'amour, de cris et d'insomnies, nous devenions phosphorescents de corps, exsangues. Je devenais femme vestale. Des cigarettes abandonnées brûlaient doucement, comme moi, dans la nuit, sans s'éteindre. Tiens, je te lègue ça: un de ces mégots si longs, si écrasés, si significatifs. Te voilà bien loti: un café triste et un mégot. Je cherche des traces et je trouve des symboles. Je te hais. Comme toi, à l'époque, par moments, tu me haïssais.

Je ne peux pas supporter
Celle que tu as été
Mon cœur n'est pas si fort
Pour subir ton accord
Avec des étrangers
Des hommes abandonnés
Qui doivent se cacher
Et rechercher encore
L'accord que tu donnais
A ces mauvais pianistes
A ces exilés tristes.
Cet accord oublié.

Jaloux, oui, tu l'étais. Je te donne les lettres que tu as lues en douce, que tu n'as pas voulu détruire, par orgueil, par virilité, par bêtise, et que tu savais être là. Et moi, qui savais que tu savais, je n'osais plus, non plus, les jeter. Il y a un instant de l'amour, inévitable, où le pur instinct le plus pur devient mélodramatique; et nous étions si convenables... Convenables, quel blasphème! Convenables, que dis-je. Je n'en peux plus de tous tes airs d'homme. J'aimais l'enfant en toi, et le mâle et le vieillard possible. Pas cette figurine.

Je te lègue notre air, tu te rappelles? On dansait, «Palala, Palala». On dansait aussi, «Pala, Pala». Nous dansions. J'étais fière de toi, tout le monde nous regardait. On regarde toujours, partout, les gens heureux. Les autres, ça les tue, ça leur brûle les yeux mais soi-même, on s'en moque. Palala, Palala... Cet air fut beau à danser. D'ailleurs, je te lègue délibérément tout ce qui fut beau, parce qu'il est aussi horrible de le supporter ailleurs sans toi que de le conserver ici pour moi.

Et puis l'imaginaire. Tu te rappelles ce dessin que nous avions tracé ensemble, un soir triste, sur un double papier et sans nous consulter? C'était le même. Oh oui, je te le jure, nous nous sommes aimés. Deux lits de fer sur une plage. Deux têtes, l'une couleur de paille, l'autre, de fer. Deux corps au-dessus de la mer interdite léchant les pieds du lit. Tu avais acheté un pick-up.

J'ignore quel disque tu y mettais. Moi, mon seul air, mon grand air, c'était ta voix, ta voix disant, «je t'aime». Toi, tu avais dû prévoir du Mozart. Les hommes stylisent volontiers tandis que leurs femmes hurlent silencieusement à la lune. A ce sujet, tu avais oublié le soleil sur ton dessin; jaune poussif, jaune poussin, jaune possédé, il éclairait le mien de ses rayons trop crus.

Tant que j'y suis, je te lègue ces mots embrouillés, confus, mortels, grâce auxquels tu m'expliquais tes absences. Je te lègue les «Rendez-vous d'affaires, démarches indispensables, contretemps fâcheux». Ah, si tu savais, si tu avais su à quel point ces contretemps s'appelaient «contreamour», et ces démarches, «férocités». Je te lègue aussi les «Tu ne t'es pas ennuyée?», les «Je suis désolé» qui suivaient ces contretemps. Oui, je m'étais ennuyée, non, j'étais plus que désolée. Je feignais de dormir. Je te lègue les draps où tu te réfugiais si soucieux, toi si bohème, de ne pas les secouer. Tu dormais. J'attendais que tu dormes pour ouvrir mes paupières. Le jour cru de mon amour m'obligeait à de silencieux incendies, des plaies, des escarres d'insomnie. Non, je ne te lègue pas ces aubes maladroites, rythmées par des cils clos du même effroi. Je te lègue, puisque tu es un homme, les honteux bandages dont tu entouras mes poignets, le soir où je jouai à mourir. Tu penchais la tête, tu tremblais, tu disais «Le sang est rouge à tes poignets, et tes bras sont raides. Il faudrait te reposer, et puis que l'on s'aide.» C'était un cri sincère ou pas, mais un cri ne veut rien dire de plus qu'un sourire. Il y a des sourires si las qu'ils vous feraient gémir et des cris comme des coups.

Et puis, mon amour, je crois qu'il me reste à te léguer ces mots si lourds d'électricité. Tu me disais «Tu ne dors pas, tu veilles, tu ne peux pas rêver. Le sommeil est un miel qu'on ne peut refuser. Tout cela n'est qu'un rôle. Je veux te voir dormir.» Tu avais raison, tu étais raisonnable, moi pas. Mais qui a raison, là, dans ce domaine? Je te laisse la raison, la justification, la morale, la fin de notre histoire, son explication. Pour moi, il n'y en a pas, il n'y a jamais eu d'explication au fait terrifiant que je t'aime. Ni, non plus, pas du tout, mais pas du tout à ce que cela prenne fin. Et nous y sommes...

Ah, j'oubliais les coquillages. Tu te souviens de ces coquillages? Parce que tu m'en voulais; de quoi? De cette plaie ouverte qui était notre passion, comme je t'en voulais moi-même. Nous nous étions jetés alors sur ces coquillages lugubres dont nous avions couvert nos oreilles pour ne plus nous entendre, pour ne plus entendre, en fait, le ressac de la mer, le ressac de l'amour et nos voix trop haut perchées tentant de surmonter le vent. Ces coquillages, donc, sont restés là, sur place, ou rejetés par nos mains puissantes et périssables lorsque nous avons admis ensemble, à force de nous voir devenus aveugles, sourds-muets et tristes, qu'ils étaient ridicules. Je te lègue ces coquillages. Ils sont sur la plage, ils t'attendent. C'est un beau cadeau que je te fais là. J'irais bien moi-même sur cette plage où il plut tant, où nous nous plûmes si peu, où rien n'allait plus.

Je ne te lègue plus rien. Tu le sais, il n'y a rien d'autre à léguer, rien de compréhensible, rien d'humain ; surtout rien d'humain, parce que moi, je t'aime encore, mais cela, je ne te le lègue pas. Je te le promets : je ne veux pas te revoir.

La nature

C'est un sentiment que nous avons en commun, Rousseau, Rimbaud, Landru, Proust, Madame de Sévigné, Hitler, Churchill, Néron et moi-même. Un sentiment qui passe avant tout par les sens et qui est le plus pur, le plus éthéré qui soit. Un sentiment qui débute dès l'enfance et qui dure jusqu'à la mort en donnant le même plaisir. Un sentiment qui peut vous porter à l'émerveillement, la mélancolie, le regret, comme à la crainte et, depuis quelque temps, à l'indignation. Un sentiment qui ne vient que de l'extérieur sans être superficiel le moins du monde, un sentiment qui peut être ressenti par des niais et ignoré par des gens intelligents et sensibles, un sentiment que l'on peut partager avec quelqu'un et que, parfois, une cinquantaine d'êtres humains s'amassent dans des cars pour retrouver. Un sentiment qui, le siècle dernier, a consolé des poètes, à les en croire, mais qui, dans ce siècle-ci, s'est très souvent trouvé oublié ou bafoué, voire rejeté. Un sentiment que les Latins et les Grecs chantaient bien avant nous et qui, à travers les siècles, à toutes les époques, a laissé des traces plus ou moins brillantes dans l'inspiration artistique. Un sentiment qui peut être perverti par l'instinct de possession, mais qui lui échappera toujours quelque part. Un sentiment que les humains, par leur présence, gâchent automatiquement : c'est le sentiment de la nature, dont je dirai tout de suite qu'il n'est pas universel. En voici deux preuves, de deux personnages tout à fait différents.

«Je déteste la guerre» disait Céline «car la guerre se passe toujours à la campagne, et moi, la campagne ça m'emmerde». Et plus tôt, Tristan Bernard : «J'adore Trouville parce que c'est très loin de la mer et tout près de Paris.»

A notre époque le sentiment de la nature, comme tant d'autres sentiments, est devenu un fanion, un parti politique : l'écologie, d'inspiration tout à fait respectable. Mais notre mère la Terre — Gé, disaient les Grecs — doit trouver un

petit peu condescendants ses soudains «protec-
teurs», elle doit même ronger son frein. Elle qui
était habituée à tourner tranquillement autour
du Soleil, serrant contre son flanc, grâce à la
force de gravité, ses enfants les Humains — afin
qu'ils ne partent pas dans le vide —, les abreuvant, les nourrissant, poussant de son souffle
leurs voiles ou les ailes de leurs moulins, prome-
nant les nuages au-dessus de leurs champs
quand ils étaient secs, balançant ses océans,
aplatissant ses mers, étendant tous ces liquides
de vert et de bleu sombres, teignant en brun les
bois de ses forêts (prévus pour nous chauffer), et
en azur pâle un ciel qui eût été débilitant en rose,
nous distrayant avec la neige ou les canicules
(lorsque nous étions installés près de sa taille),
nous oubliant un peu quand nous en étions
éloignés (comme les mères avec leurs chiots),
prêtant ses poches aux spéléologues, ses lon-
gueurs aux aventuriers, ses plages aux pares-
seux, nourrissant, réchauffant, abreuvant, habil-
lant, réjouissant et, de temps en temps, terrifiant
par ses colères (subites) notre espèce tout
entière. Les écologistes compatissants ne doivent
pas oublier la force des fureurs qui lui font

démolir les villes, s'effondrer les montagnes, se lever les vents, se briser les bateaux, et qui font tousser de la lave et expectorer des rochers fumants à ses quelques volcans. Punitions, mais maigres punitions à Ses yeux, comparées aux innombrables bienfaits dont Elle nous comble depuis des ères.

Et qu'apprenait-elle tout d'un coup, en 1945, sinon que ses enfants, ses propres enfants non seulement lui picotaient la peau de leurs boulets devenus bombes, mais avaient trouvé en outre le moyen de la brûler complètement en surface. Elle allait peut-être, par la faute de ces ingrats, se retrouver toute seule, grise, chauve, et tournant en silence, la peau brûlée jusqu'à la deuxième couche de son épiderme, gravement trouée; et sans un seul oiseau. Abîmée, quoi!... Bien sûr, bien sûr, quand sa colère serait calmée, elle reprendrait d'autres occupants, mais pas les mêmes! Non! plus d'hommes, ni de femmes, ni d'enfants. Des animaux à la rigueur, qui eux étaient francs, insouciants et tendres, en aucun cas ces bipèdes aux nerfs trop fragiles et au cerveau trop étriqué, ces humains qui n'utilisaient que 25 % de leur cervelle (et le savaient, de plus) et qui allaient se détruire et l'abîmer! Ah non, elle s'arrangerait pour que les suivants disposent de 50 % de leur esprit. Cela leur permettrait de vivre en paix, de se connaître eux-mêmes, et de la connaître, elle, sur laquelle les scientifiques actuels n'avaient que de misérables hypothèses... Enfin, il fallait bien le dire, sa belle robe de terre et de blé était si perpétuellement tachée de sang, par endroits, qu'elle en était dégoûtée. De même en avait-elle assez de voir dans ses déserts ces pauvres affamés s'effondrer de faim à peine nés, tandis que dans ses fertiles contrées, les habitants, pourris de vanité et de nourriture, utilisaient l'excès de leurs biens à construire de quoi se tuer et la tuer elle-même — enfin l'abîmer un peu plus qu'ils ne l'avaient fait jusque-là avec leurs jouets ridicules. Qu'ils s'en aillent!... Qu'ils aillent donc vivre sur la Lune, cette vieille cousine avare et froide qu'elle connaissait de réputation. Qu'ils aillent donc voir le méchant Saturne et ses fureurs! Mais qu'ils s'en ailllent! Elle n'en pouvait plus! Elle n'en pouvait plus de ces égoïstes et de leurs bêtises, ingrats envers elle, incapables de guérir leurs propres maladies mortelles et à présent capables

45

de tous s'éliminer d'un seul coup! Ils étaient devenus intolérables. Qu'ils s'en aillent!... Elle n'était plus leur «Mère Nature». Ce surnom, qu'ils lui avaient donné, qu'elle avait accepté, était désormais périmé.

Et pourtant, imaginez-vous, rappelez-vous ce que c'est que le sentiment de la Nature : vous êtes seul dans un pré. Vous vous allongez sous un arbre. Vous regardez les feuilles innombrables, éblouissantes sur un ciel bleu, vide ou habité selon vos croyances. Vous sentez sous vos mains le piquant de l'herbe drue, vous respirez cette odeur de la terre gavée de soleil, vous entendez un oiseau s'extasier derrière vous, à haute voix, sur la beauté du jour. Nulle trace d'être humain... Et vous ressentez, en même temps que du plaisir et du calme, de la reconnaissance : pour Elle. Pour cette fidèle, aimable, et disponible nature, pour cette terre qui se prête à votre corps, qui vous transporte, immobile, dans sa course paisible autour du Soleil. Vous vous sentez accepté. Vous vous sentez équilibré par elle. Vous aimez sa verdure, son parfum, ses rumeurs. Bref, vous éprouvez le sentiment de la Nature tel que l'éprouvèrent les Grecs, les Latins, vos ancêtres et tel que vos enfants l'éprouveront (s'ils le peuvent encore?). Tel que l'éprouvèrent Hitler et ses victimes, des abrutis et des génies, vous-même à six ans, et vous-même maintenant. Vous avez, ou pas, parcouru cette terre, vous avez vu ou non ses canaux, ses lagons, ses tropiques, ses fjords. Vous avez vu ses foules, vous avez vu ses mers, ses pics, vous les avez vus ou survolés, peu importe, mais vous avez tous éprouvé un jour ce sentiment, cet émerveillement solitaire. Que ce soit dans un jardin public ou au cœur de la jungle, vous avez ressenti son indulgence maternelle à votre égard.

Car vous lui devez tout à cette Terre que vous savez ronde mais qui est plate pour que vous vous y allongiez, cette Terre envahie par des eaux qui ne vous noient pas, des montagnes qui ne s'affaissent pas sur vous, cette Terre qui est votre abri. Et si nous connaissons les termes d'infanticide, de parricide, de fratricide, et non de naturicide, c'est peut-être parce qu'il n'y aurait pas là une faute de vocabulaire, mais une faute de sens. Parce que ce serait «la» faute, la

grande faute, l'impensable et innommable faute.
Il suffit, d'ailleurs, de lire les livres, romantiques
ou pas, les livres que l'on aime et où, toujours, le
pire qui puisse arriver à un homme est décrit par
la phrase classique : «Et X... sentit le sol se
dérober sous ses pieds, la Terre lui manquer.»
Après cela, il ne peut plus rien arriver au héros.

C'est que rien ne peut être pire, apparemment,
pour ceux qui ont aussi connu l'horreur d'une
terre qui brûle ou d'une terre qui se noie, rien
n'est plus effrayant qu'une terre qui se dérobe et
s'ouvre. A travers les flammes, à travers les flots,
on peut chercher et trouver, de la main ou du
pied, du corps, un coin de terre, un abri. Mais
notre propre terre, cette terre qui est la nôtre,
cette ultime ressource, cette terre où nous
sommes nés, dont nous sommes faits, et dans
laquelle on nous enfouira une fois morts, cette
terre qui nous manque, c'est le pire.

Cette terre que l'on a dite plate, creuse, enflam-
mée de l'intérieur, immergée, cette terre née de
Dieu et d'un Bang, d'une volonté ou d'un hasard,
cette terre où nous nous sommes adaptés ou qui

s'est adaptée à nous, où nous arrivons blancs ou noirs, jaunes ou rouges, handicapés ou musiciens, cette terre où nos aïeux furent des poissons ou des singes, où nos cellules sont toutes distinguées ou distinguables, cette terre qui fut péniblement si abîmée, et si bien construite aussi, par les hommes, cette terre où nous naissons, cette terre dont nous ne savons rien et tout, peu et beaucoup, et dont le rôle est toujours généreux et redoutable, cette terre que les géologues vénèrent et que les pêcheurs à la ligne adorent, où les prophètes et les paysans se succèdent, cette terre que certains de nous ont découverte morceaux par morceaux et dont toute une partie, en tout cas l'Australie, nous échappe, cette terre dont trois minuscules parcelles, l'Angleterre, la France et l'Espagne, dirigèrent les étendues immenses pendant des siècles, cette terre extravagante où nous sommes si nombreux et si seuls, cette terre dont nous ne savons rien, finalement, sinon que nous y finirons enfouis, que nous n'y sommes que de passage, que nous y avons été poussière, nés de poussière et que nous y retournerons poussière — comme le disent les livres les plus anciens — «Dust to dust»,... ce superbe tas de poussière, sous cette nature si verte, sous ce ciel si bleu dans l'éclat du soleil... Cette terre qui a été à nous si longtemps, qui l'est encore... pour combien de temps?... Je l'ignore. Mais le cri des oiseaux était-il aussi effrayé, il y a mille ans, quand le jour faisait place à la nuit?

Catherine Deneuve — La Fêlure blonde

De Catherine Deneuve, on disait qu'elle avait un secret et un secret à mes yeux intéressant, puisque cette jeune femme belle, blonde et célèbre, qui séduisait les Américains par son charme français, et les Français par sa beauté américaine ne s'était pas permis depuis vingt ans la moindre faute de goût : je ne l'avais jamais vue parler de son art avec des sanglots dans la voix, je ne l'avais jamais vue sur la plage de Saint-Tropez, cajoler un enfant extrait pour la circonstance d'un collège suisse ; je ne l'avais jamais vue, non plus, ceinte d'un tablier de percale et l'air malicieux, tourner une sauce béchamel sur ses fourneaux. Et je ne l'avais jamais vue dans une gazette comparer les charmes de Vadim à ceux de Mastroianni. Ses rapports amoureux n'avaient jamais fait les choux gras du moindre reporter ou du moindre magazine, pourtant friands de ces péripéties. J'ignorais tout de sa vie privée. Bref, j'appréciais en elle une pudeur, une discrétion, une fermeté que je savais, par expérience, difficiles.

Selon leur degré de sympathie, la presse en général et ses interviewers en particulier parlaient de sa froideur ou de son mystère. Que la timidité et la réserve fussent considérées comme un mystère n'en était pas un, en tout cas pour moi à notre époque, où, comme on le sait, l'exhibitionnisme des uns va au grand galop au-devant de l'indiscrétion des autres, et où l'intérêt de l'interviewé pour lui-même non seulement comble l'intérêt de l'interviewer mais très souvent le déborde. Je parle ici uniquement des stars, dont la carrière, après tout, demande sinon exige, tout le temps et partout, la présence de caméras et de haut-parleurs — présence qui leur deviendra vite délicieuse ou haïssable, selon leur nature, mais qui ne leur sera plus, plus jamais, indifférente.

La célébrité, ses soleils et ses casseroles, certaines femmes comme Garbo ont passé la moitié de leur vie à la fuir. D'autres comme Bardot ont failli lui abandonner la leur. D'autres, tant d'autres, tellement d'autres, l'ont recherchée jusqu'à leur mort, et certaines sont mortes de n'avoir pu la trouver. Mais chez toutes ces vedettes, hommes ou femmes, qu'il se soit transformé en passion ou en horreur, en nécessité ou en névrose, il y avait au départ un désir de résonance, d'écho, de reflet. Si l'on peut, je crois, devenir innocemment, par simple et dévorante passion de jouer, un monstre sacré du théâtre, je ne crois pas en revanche qu'on puisse aussi innocemment devenir une vedette ou une star de cinéma. Car s'il faut se lancer sur une scène de théâtre, s'il faut s'étouffer du désir de faire trembler, rire, ou pleurer cette énorme bête noire, aux mille souffles haletants, accroupie devant vous, en revanche, c'est la caméra qui avance vers vous; et l'on peut, ou l'on peut ne pas, assister à ses rushes ou à la première projection. Bien sûr, il y a belle lurette que le mythe de la star avec ses fourrures, ses bijoux, ses amants, ses fêtes, ses triomphes, son art et son perpétuel bonheur de vivre, il y a belle lurette que ce mythe s'est révélé moins facile à vivre qu'à rêver. Il y a belle lurette aussi que l'on dénonce dans des films, des pièces, des livres, la lancinante mutilation que votre propre image peut infliger à votre nature, et surtout la féroce absence que laisse en vous cette image lorsqu'elle s'absente aussi des affiches, des échos et des mémoires. Contemplée, chérie, aimée par des millions d'êtres humains, physiquement désirée par la moitié de ces millions, comment se résigner à n'être plus, un jour, désirée, aimée, chérie et contemplée que par un seul homme ou une seule femme? Et cette vieillesse, même lointaine, qui se révèle déjà cruelle, humiliante et pénible pour tout le monde, comment supporter qu'elle soit en plus pour vous dégradante, déshonorante, implacable? Comment supporter que le temps, cet ennemi vague de tout un chacun, devienne pour vous un ennemi si précis, si complet, destructeur aussi bien de votre carrière, votre entourage, votre mode de vie, que de votre travail même, c'est-à-dire, un peu, de votre honneur... Un ennemi qui fera de vous, un jour forcément, l'objet à abattre pour ceux ou celles qui, nés plus tard, se retrouveront automatiquement les vainqueurs, les voleurs de tout ce que vous avez possédé, gagné par vos mérites, ou acquis aux dépens de rivaux démodés. Pour désirer, et si on l'a déjà, retenir cette célébrité devenue fatale (je ne parle pas, bien évidemment, de la renommée des comédiens mais de la célébrité des vedettes), ne fallait-il pas être un peu fou ou un peu masochiste?

Je roulais donc dans ma tête ces grandes pensées tout en roulant dans ma petite voiture vers l'appartement de Catherine Deneuve. Je sonnai à sa porte. Elle m'ouvrit et j'oubliai aussitôt ces sombres pronostics. Je me trouvais en face d'une jeune femme superbe qui semblait avoir à peine passé la trentaine et qui semblait aussi gaie, aussi naturelle, aussi peu froide et aussi libre que si nous avions été en classe ensemble. Ce qui, je l'ajoute tout de suite, n'est pas le cas, hélas, pour moi qui suis très largement son aînée (avantage qui m'échoit de plus en plus souvent mais qui, compensé par mon infériorité en matière d'organisation, de maturité et de sécurité, ne me laisse aucun sentiment ni de supériorité ni de son contraire).

Pour en finir avec mes précédentes digressions sur le vedettariat, je dirai tout de suite que si Catherine Deneuve a très évidemment le physique et le talent de son métier, elle n'en a pas, je crois, l'obsession, et qu'elle ne semble exposée ni aux excès, ni aux ravages, ni même à certains plaisirs que cette obsession procure peut-être; qu'elle semble savoir, avec Chateaubriand, que la gloire, on la partage aujourd'hui avec le criminel et le vulgaire; j'ajouterai que lorsqu'elle parle d'elle-même, comme tout le monde, à la première personne du singulier, elle ne semble pas, comme beaucoup, en invoquer une troisième, devant laquelle l'interlocuteur doit intérieurement se prosterner; et que pour expliquer sa très belle trajectoire, c'est avec beaucoup de grâce qu'elle évoque le hasard et non pas une nécessité intérieure, un sous-moi confus, un de ces inconscients hagards et ignares que certaines starlettes intellectuelles jettent si facilement à la tête des journalistes. Bref, qu'elle n'est ni prétentieuse, ni sotte, ni faible, ni méchante, ni méprisante.

Je crois pouvoir affirmer que pour Catherine Deneuve, l'amour, l'amitié, l'autre, les autres, le bonheur, l'angoisse, le remords, le plaisir sont les éléments les plus importants de son existence. Son champ de bataille ne se passe pas sur les planches ni sous les spots ni dans les studios. Son champ de bataille, c'est les sentiments. Et Dieu sait que ce champ-là est grand. Et Dieu ou personne sait comme je me sentis soulagée, après de lugubres analyses, de découvrir que cette femme célèbre, si besoin était, dans quinze ou vingt ans, saurait trouver sur un seul et unique visage tout ce que des millions de regards lui renvoyaient aujourd'hui anonymement et mondialement, c'est-à-dire le sentiment d'être nécessaire au bonheur d'autrui; et que cette nécessité alors non seulement lui suffirait mais la comblerait en retour.

Ma vision du vedettariat ayant été dès mon arrivée parfaitement démentie par la seule présence de Catherine Deneuve, je préfère lui laisser la parole à elle ou, du moins, à tout ce que ma mémoire a pu retenir d'un après-midi ensoleillé et pluvieux, place Saint-Sulpice où se battaient des pigeons gris. Je ne citerai pas mes propres questions, d'abord parce que je ne m'en souviens pas et ensuite parce que leur absence permettra aux lecteurs de créditer d'ingéniosité et de quelque bon sens lesdites questions.

«C'est très gentil de venir me voir mais quelle

drôle d'idée? Je n'ai pas grand-chose à dire, vous savez...

«Je ne sais pas si comme ça, sans vous connaître, je pourrai vous donner une interview bien originale ni bien intéressante pour vous...

«De quoi allons-nous parler, alors? de ce que vous voulez. Les journalistes disent que je suis froide et distante mais je ne me sens ni froide ni distante, je me sens simplement naturelle mais j'ai horreur de parler de ma vie privée. Est-ce que cela vous paraît extravagant à vous? Non, bien sûr. C'est quand même étonnant cette époque où tout le monde doit laver sa chemise, ouvrir son lit ou exhiber ses sentiments en public. Je trouve ça affreux. Remarquez, je ne suis pas pudique par discipline, j'ai été élevée comme ça. Ça facilite la pudeur, le secret, donc le bonheur dit-on. Heureuse, suis-je quelqu'un d'heureux? Comment le savoir? Il y a des moments où je suis très heureuse, des moments où je suis très malheureuse, et très peu entre les deux.

«En fait, voyez-vous, quand je suis très heureuse, ça me fait peur. J'ai l'impression que le malheur, enfin la mélancolie est plus normale que la gaieté, que la joie. Quand je suis heureuse, j'ai l'impression que je vais devoir le payer plus tard et même souvent il m'arrive de le payer d'avance. Par exemple, je me suis arrêtée de fumer pour compenser une surprise, un bonheur que je n'attendais pas... Vous trouvez ça fou... Eh bien moi, je ne trouve pas le bonheur naturel; et je vous assure qu'il y a beaucoup de gens comme moi. J'en connais beaucoup qui ont peur du bonheur, enfin qui adorent ça, bien sûr, mais qui en ont peur. Vous savez, je ne suis pas une passionnée de Freud, je ne suis pas passionnée par l'inconscient. En revanche, je crois que Freud a raison quand il dit que tout se passe pendant l'enfance. Je sais, je suis persuadée, dans mon cas, d'avoir eu un choc, un traumatisme quelconque dans mon éducation qui m'a donné cette impression de culpabilité perpétuelle dont je ne suis pas arrivée à me débarrasser. Cela peut paraître bizarre chez moi mais c'est ainsi. Je suis difficilement arrivée à vivre avec moi-même, à me dresser, à m'équilibrer, et même si je me sens beaucoup moins à la merci de mes propres humeurs, j'ai des moments de grande dépression comme de grand bonheur, indépendamment de ma volonté et de ma raison, comme tout le monde, j'imagine! En fait, je ne pensais pas qu'on puisse adorer la vie en étant pessimiste sur elle. Quand je dis pessimiste sur la vie, je ne pense pas aux gens. Je ne suis pas pessimiste sur la nature humaine, mais en fait, cela m'est assez facile puisque je suis libre de choisir "mes gens". Je ne cherche le contact que de ceux que j'aime. C'est-à-dire de ceux qui sont bons, fidèles, loyaux, intelligents, sensibles. Je n'ai aucune envie d'aller m'affronter avec les autres, de perdre mon temps à des chocs. Je déteste les rapports de force. J'ai toujours détesté ça, que ce soit dans l'amour, dans l'amitié, ou dans le travail. Mon travail, vous voulez que nous parlions de mon travail? Eh bien, disons que je fais un métier que j'aime beaucoup et que je commence à connaître assez bien. Dans certains cas même, je peux donner des conseils aux jeunes metteurs en scène avec lesquels je travaille. Je suis très perfectionniste. J'adore l'atmosphère des studios. Je connais les fils d'un film, ses ressorts, je connais les tensions d'un studio comme je connais les perfectionnements qu'on peut apporter à certaines scènes. Et si c'est possible, ou si c'est indispensable, ou si ça peut simplement être utile sans jeter le trouble, j'essaie d'y aider.

«Pour une actrice, voyez-vous, je considère que le plus important, c'est d'abord le choix de son scénario. Je fais très attention à l'histoire et au personnage que je vais interpréter. Je détesterais jouer un rôle que je ne sente pas, que je n'aime pas, que je n'imagine pas. En revanche, je ne rêve que sur des réalités, enfin sur des personnages que l'on me propose. Je n'ai jamais rêvé d'être Phèdre, Anna Karenine ou Madame Bovary. J'ignore pourquoi mais mon imagination ne s'exerce qu'à partir de projets réels. Le théâtre, par exemple, le théâtre dont je sais bien qu'il est sûrement passionnant, terrifiant et merveilleux, le théâtre ne me serait pas possible. J'aurais bien trop peur de cette foule puisque, déjà, j'ai un peu peur des individus, au départ, que ce soit des fans, des badauds ou des journalistes. Je ne sais jamais s'ils sont vraiment là par sympathie ou par une sorte de curiosité cruelle. Ce n'est pas que j'aie peur de ce que l'on dira de moi dans les journaux : en fait je ne leur dis rien qu'ils puissent vraiment déformer. Au contraire, j'essaie plutôt de les faire parler, eux, ceux qui viennent m'interviewer. Je m'intéresse beaucoup à certains, à ce qu'ils disent quand ils sont un peu sensibles. Et puis c'est trop injuste après tout, c'est toujours le même qui pose des questions, toujours la même à laquelle on s'intéresse. Il n'y a pas de raison. Mon Dieu, je ne vous ai même pas offert à boire, c'est dramatique, vous ne voulez rien?... Vous ne pouvez vraiment plus boire d'alcool du tout, c'est épouvantable! Moi, de temps en temps, j'adore ça. Je bois deux, trois whiskies comme ça, pendant une semaine, dix jours, quinze jours, ça m'enlève ma timidité, ça me rend très gaie. Je trouve tout facile, agréable, léger. Je me sens sûre de moi. Enfin! Cela dit, quand je dis que je bois, c'est un petit peu exagéré. Je m'arrête quand je veux et il y a des mois entiers où je ne bois pas une goutte d'alcool. Mais il y a des soirs, on ne sait pas pourquoi, grâce à lui, on parle, on s'amuse comme des fous. Moi-même, je ne sais pas raconter des histoires drôles, je ne suis pas ce qu'on appelle une comique mais j'adore rire. J'ai des amis avec lesquels nous rions interminablement pour des bêtises. Comme tout le monde d'ailleurs.

«En amitié, je tiens beaucoup à très peu. Je ne

me soucie ni de ce qu'ils sont, ni de ce qu'ils font, ni de leur milieu social. Qu'ils soient célèbres est le dernier de mes soucis. Mes amis, je les estime et je les respecte. Mais, comment dire, je ne leur permets pas de se dévaloriser à mes yeux. Par exemple, dans votre cas, on dit que vous avez jeté l'argent par la fenêtre et très souvent à de faux amis. C'était peut-être de vrais amis, mais moi, je n'aurais pas pu faire ça. Je regrette que les rapports d'argent amènent des rapports de force. J'aime bien l'idée que l'amitié soit basée sur la gratuité. Si un ami avait un problème je l'aiderais mais j'aurais peur de déséquilibrer notre relation, d'installer un rapport de domination.

«Cela dit, l'argent je m'en moque. Il entre par une porte, il ressort par l'autre, tant pis! Dieu merci, j'ai quelqu'un qui s'occupe de ma comptabilité, qui s'occupe de tout, mais je suis la vraie responsable et ça c'est tuant; j'en ai tellement assez de m'occuper des comptes, des impôts, des choses, je trouve ça épuisant pour une femme, vraiment épouvantable, mais il faut le faire, donc je le fais. Quand je dis que je jette l'argent par la fenêtre, c'est faux, je veux dire par là que je ne peux pas résister parfois à certains élans. Par exemple, quand je vois un très bel objet, même s'il est ruineux, même si je n'en ai pas les moyens, eh bien, j'oublie complètement la valeur de l'argent et j'entre et je l'achète. Cet appartement est rempli d'objets que j'ai achetés comme ça, alors que je n'aurais pas dû le faire... Je suis bien d'accord avec vous, il ne faut pas se faire des ennuis à soi-même. On en a déjà assez qui viennent de l'extérieur. Et je ne compte pas ceux que je me forge moi-même, grâce toujours à cette culpabilité que je n'arrive pas à repousser.

«Enfin, il ne faut pas exagérer, j'ai l'air de parler d'une manière angoissée mais je suis quelqu'un de très heureux en général et j'essaie d'apprendre le goût du bonheur à mes enfants, c'est le plus important. Ça, et certaines lois, certaines règles de conduite. Par exemple, ces derniers temps, j'avais des rapports que je trouvais froids, lourds, faux avec mon fils que pourtant j'adore. Eh bien, j'ai pris la décision d'arrêter ce gâchis. Nous nous sommes séparés, il est allé de son côté, moi du mien, et je crois que c'était nécessaire, bien, et pour l'un et pour l'autre. Je ne supporte pas les situations fausses, les amitiés tronquées, les amours infidèles. J'aime les choses claires, nettes, surtout avec les enfants; il est tellement important d'apprendre aux enfants le sens de la réciprocité. Il y a des hommes aussi qui l'ignorent, mais ceux-là, je les fuis, ceux-là sont trop dangereux. Je n'aime pas la tension chez moi. Il faut dire que c'est très fatigant, vous savez, de tourner. On est épuisé après, on a besoin de calme, de repos, de tranquillité, de solitude; enfin cette solitude choisie par moi-même ne m'ennuie jamais. Il m'arrive de passer des heures la nuit et le jour, comme ça, à ne rien faire, à traîner, à regarder par la fenêtre, à perdre mon temps. Alors je feuillette des journaux, je lis quelquefois des livres mais pas souvent. J'adore regarder de vieilles revues, voir des photos d'avant, relire des vieux textes. Ça me distrait beaucoup.

«Si je n'avais pas été comédienne, je ne sais pas du tout ce que j'aurais pu faire. Je crois que j'aurais aimé être antiquaire. J'adore les objets, les beaux objets. J'adore retrouver un bois, un style, j'adore chiner...

«La politique? De temps en temps, je m'engage. Par exemple, vous vous rappelez la loi sur l'avortement de Simone Veil. J'avais signé un

papier comme quoi je m'étais fait avorter illéga-
lement. Vous aussi d'ailleurs, je crois. C'était un
sujet privé, mais une loi importante. Mais je ne
veux pas prendre position pour quelqu'un, c'est
une exploitation de la popularité que je trouve
malsaine.

«Je crois quand même qu'il y a des choses dont
on ne se remet pas ou très mal, certaines morts,
par exemple, dont on n'arrive pas à se libérer.
Mais parlons d'autre chose, il y a tellement de
choses merveilleuses dans l'existence. On est
bien d'accord. Il fait beau, il fait doux, il fait bleu,
Paris est si beau... Comment j'aimerais que soit
écrit votre article? Je ne sais pas, pourquoi?
Quelle drôle d'idée, quelle drôle de question!
Mais non je ne tiens pas à le relire, je vous fais
confiance. Si vous y tenez, je le relirai, c'est
comme vous voulez. Je n'aime pas contrarier les
gens. Eh bien, cet article, je ne sais pas, je
voudrais un peu qu'il soit comme un conte de
fées, qu'il y ait quelque chose de magique, d'op-
timiste qui me rassure, que ce soit comme une
espèce de promesse de bonheur. Quelque chose
qui, le matin, quand je me réveille, me donne
confiance en moi. C'est bête, n'est-ce pas? C'est

très difficile de dire ça à quelqu'un qu'on ne connaît pas, qu'on a vu quelques heures et qui doit imaginer, sans mentir, des choses sur vous. Mais je crois que c'est bien ça.»

Là elle s'arrêta. Et j'aurais pu en faire autant. Si, en relisant cet article, je n'avais pas soudain compris sa manœuvre et l'origine de ce faux secret qui l'auréole. Je vis soudain que j'avais passé plus de temps à expliquer qu'elle n'était pas ceci qu'à affirmer qu'elle était cela.

J'ai écrit par exemple qu'elle n'était pas prétentieuse mais je ne sais pas si elle est modeste. Qu'elle n'était pas froide, mais je ne sais pas si elle est passionnée. Qu'elle n'était pas faible mais je ne sais pas si elle est forte. D'ailleurs, je ne crois pas qu'elle soit forte, je crois que c'est une femme fragile, courageuse et effrayée et qui a plus peur d'elle-même que de n'importe qui. Il me paraît presque évident que l'on ne peut afficher cette sérénité, cet équilibre et cette sorte de détachement amical sans avoir peur. Et si Catherine Deneuve m'a dit cent fois : «Je ne suis pas ceci ou je ne suis pas cela», c'est parce qu'elle ne se sentait ni la force ni l'envie de dire : «Je suis ceci, je suis cela.» Et peut-être, en effet, faut-il de l'innocence et de la naïveté et presque une forme de bêtise pour affirmer : «Je suis ceci, je suis cela» et peut-être en effet aussi ce sentiment d'innocence, quelqu'un ou quelque chose le lui a-t-il fait perdre pour qu'elle n'ose pas parler d'elle autrement que dans une forme interro-négative.

Et pourtant, blonde, belle, éclatante et séduisante comme elle l'est, sensible aussi, et n'ayant «que l'on sache» jamais fait de mal à personne (et l'on sait vite à Paris dans ce milieu), et pourtant aimée par des hommes, aimant ses enfants et aimée du public, qui, plus que Catherine Deneuve, pourrait prétendre impunément qu'elle existe telle qu'elle est ? Je l'ignore et peut-être cela est-il le meilleur et le pire de son charme que cette lueur mate qui parfois surgit du châtain de ses yeux, s'affole et laisse deviner une fêlure dans toute cette blondeur.

Gorbatchev — L'histoire ne s'attendrit que sur les vainqueurs

Il est très rare que l'Histoire confère à l'un de ses grands acteurs, dès sa première apparition sur ses tréteaux, tout le pouvoir, la renommée, le mystère et l'écho qu'il possédera plus tard. Napoléon, après son premier éclat, sous le Directoire, dut aller en Egypte affronter un exotique ennui, avant de reprendre sa marche vers le trône et l'Empire. Les rois, bien sûr, durent, en général, attendre la mort de leur mère, ou la chute d'un régent, pour exercer leur toute-puissance. De Gaulle piétina trois ans à Londres; Hitler passa quelques mois en prison après ses premières vociférations de Munich (et je ne parlerai pas de ces fougueux et furtifs colonels d'Amérique latine dont on a à peine le temps de retenir le nom, un nom qui de toute manière n'interférera pas dans le destin du monde).

Bref, il est exceptionnel qu'un homme se retrouve en haut de son piédestal, sans que quiconque l'ait vu ni en manquer ni en escalader une marche.

Et c'est pourtant le cas de Gorbatchev : c'est du jour au lendemain qu'on le découvrit président du Soviet Suprême, maître de la Russie, c'est-à-dire susceptible de détruire l'Europe et en tout cas d'en tyranniser plus de deux cents millions d'individus. C'est du jour au lendemain qu'il envahit notre monde, par les voies de communication habituelles, sans qu'on l'ait jamais vu penché sur l'épaule de Brejnev, ou de profil derrière Andropov. Ni prévu, ni espéré, ni craint donc, ce fut pourtant cet homme-là qui fit se lever et s'asseoir à son entrée, en 85, les trois cents membres du Praesidium du Parti communiste russe.

Le choc fut doublement rude. Car, depuis plus de soixante-dix ans, ce poste était régulièrement confié à un vieillard aux traits figés, à l'expression méprisante et qui nous maltraitait, ou nous mentait avec une vigueur et une mauvaise foi extravagantes et parfois même comiques. Vêtus de complets que l'on devinait de loin faits de rayonne, faute de bure, ces octogénaires nous réclamaient un respect qu'ils ne nous rendaient pas et hurlaient des contrevérités insoutenables. Et nous avions pris l'habitude, petit à petit, d'être traités de décadents et de vipères lubriques par ces octogénaires forcenés — qui représentaient pourtant la Russie, c'est-à-dire le charme russe, les héros de Dostoïevski, les héros de Tolstoï, les balalaïkas et tout ce que nous aimions confusément sans le connaître de ce peuple si proche, mais avec lequel, sans comprendre pourquoi, nous étions perpétuellement en état de guerre froide ou de détente. Le temps passant, avec ses péripéties, nous nous y étions habitués, nous étions habitués à ce qu'un mur, un mur tantôt symbolique, tantôt réel, un mur d'acier, nous séparât de ces voisins inconnus. D'autant que, tous les ans, un reportage ou un témoignage, un récit, venait nous rappeler l'existence de ces martyrs ou de ces fanatiques — selon nos convictions — et redoubler chez les uns la compassion, chez les autres la terreur, voire la haine. Ah, nous étions fort loin de cette fameuse chaleur russe, de l'âme russe, nous en étions au diable, les diables étant ceux qui, de Staline à Andropov, avaient illustré pendant soixante-dix ans une tyrannie sans précédent, dans le cynisme en tout cas, puisque se disant inspirée par le peuple même qu'elle maltraitait et étouffait! Etouffait au point que si, comme d'habitude, les Américains étaient pour nous matérialistes, les Anglais arrogants, les Espagnols grognons et les Italiens bavards, les Russes, eux, n'étaient plus rien : rien que russes! Ils n'avaient plus d'identité, plus de singularité, plus de silhouette. Or il faut qu'une nation soit bien fortement et bien soigneusement brimée et bâillonnée pour qu'on ne puisse même pas la représenter par un travers... On en était arrivé au point que les adversaires politiques les plus décidés ne discutaient même pas de cette condition sinistre et de ce délabrement. Simplement, certains prétendaient qu'ils le voulaient et d'autres qu'ils en souffraient. De plus en plus nombreux ceux-ci, bien sûr, après les révélations du goulag. Une sorte de compassion horrifiée — peu à peu affadie par des récits de voyages devenus plus faciles, mais toujours lugubres —, une compassion horrifiée entoura désormais la

Russie; s'exacerbant parfois, à propos d'un homme extraordinaire comme Sakharov, ou de la terrible attaque du Boeing nord-coréen. Ou à propos bien sûr des crises de ces pays socialistes, de ces plus proches voisins qui payaient leur proximité avec la Grande Ourse.

C'est sur cet arrière-fond immuable et désespérant que surgit ce bambin de cinquante et un ans, ce Russe, cet homme venu d'ailleurs. (Imagine-t-on un politicien américain qui n'ait pas fait enlever cette tache dostoïevskienne sur le front?) Mais un homme qui parlait le même langage que nous, qui disait ce que tout le monde pensait depuis 1945, c'est-à-dire que la guerre atomique était une chose atroce, rendue inévitable un jour par le surarmement, et qu'il fallait arrêter. Mais aussi un homme qui admettait, en même temps, que les femmes et les enfants russes étaient vulnérables, également, à cette bombe. Un homme qui prêtait à son peuple les mêmes nécessités, les mêmes craintes qu'aux nôtres; et, bien plus : les mêmes responsabilités en cas de malheur.

Le monde occidental en resta coi. On supportait que ce nouveau venu ait l'air humain, qu'il ait de l'humour, qu'il ait du charme, voire un langage châtié. On supportait même qu'il soit bien habillé et n'ait pas la pantoufle à la main ni l'insulte à la bouche. Mais qu'il partageât notre peur, c'était trop, puisque nos peurs c'était à lui, à eux, que nous les devions ! Et le monde s'écarta en 85, incrédule et inquiet, de ce Russe trop puissant et trop inopinément normal. Ce fut partout la stupeur, la méfiance, mais en aucun cas le soulagement, ce soulagement qu'il apportait, en revanche, en Russie... Et il fallut trois ou quatre ans de preuves irréfutables pour que le monde, enfin, admette de bonne foi (les Français les derniers, bien entendu) que la Russie avait un dirigeant humain et qu'il fallait aider.

Beaucoup, d'ailleurs, s'y refusent encore. Beaucoup, confondant la méfiance avec l'intuition, s'affolent à chacune de ces preuves, et crient au stratagème. A se demander s'ils ne seraient pas plus rassurés, pour accorder leur aide, s'ils ne préféreraient pas, entre autres, que l'Afghanistan soit toujours à feu et à sang, la Hongrie et la Pologne toujours bâillonnées et Sakharov toujours malade à Gorki. En réalité, cette féroce Russie était moralement nécessaire, pour beaucoup. Comment, autrement, supporter les horreurs du fascisme, d'un Pinochet par exemple, sinon en brandissant un «pire», en face, c'est-à-dire le goulag? Comment, autrement, défendre les cruautés d'un profit froid et systématique, sinon en jetant à la tête des partageurs ce loup-garou, ce monstre, ce communisme russe, où l'on faisait avorter tout mouvement généreux? Ce n'est pas le tout d'avoir des ennemis infâmes, encore faut-il qu'ils soient reconnus tels, par tout le monde.

Quoi qu'il en soit, il était normal que tout ce qu'il changeait le soit sous les yeux stupéfaits (et éblouis) de son peuple comme sous ceux stupéfaits (et incrédules) du monde entier. Car sortir la Russie, ce gigantesque pays, de soixante-dix ans de terreur et d'immobilité, l'arracher à sa peur et à son inertie, il semblait que même Sisyphe s'y serait refusé. Et une question, alors, se pose, ici : quand Gorbatchev a-t-il décidé qu'il fallait faire quelque chose, qu'il fallait le faire vite, et qu'il allait le faire lui-même? Comment a-t-il pu agir avec son ambition et son humanisme (les deux pour une fois réunis) au milieu de ces froids apparatchiks du Kremlin? Comment a-t-il osé, une fois au pouvoir, révéler ses desseins à des ennemis si proches et si lointains à la fois, et à un peuple qui ne voyait en lui qu'un dirigeant inflexible comme les autres? Comment a-t-il osé s'attaquer à ce marxisme dévoyé et faussé que le monde entier redoutait et craignait — quand il ne le subissait pas? Comment un homme si au courant des méandres et des chausse-trapes du Kremlin, comment cet homme a-t-il osé se dresser et dire «Changeons» devant des proches indignés ou acculés, devant un peuple résigné ou caché et devant un monde extérieur méfiant ou hostile? Toujours est-il que, cela, Gorbatchev l'a fait.

Il faudrait pour comprendre cette folle, incroyable audace connaître un peu l'homme. Or on ne le connaît pas, ou mal. Les politiciens russes étaient et sont des retardataires qui n'ont pas encore ouvert leurs lits, ni leurs cœurs, aux médias — encore moins leurs âmes. On ne peut les juger que par leurs actes. Que pouvait-on dire de Gorbatchev?

C'était un homme qui avait d'abord su prendre le pouvoir le plus difficile à prendre (parce que le plus dangereux), ce qui incluait de ne pas se faire remarquer dans un pays où toute originalité, tout relief étaient fatals. Tout en faisant remarquer, quand même, sa docilité et sa fidélité politiques par les grands manitous, et aux bons moments. Tour de force qui exigeait du sang-froid, de la dissimulation, de l'habileté, toutes les qualités, si l'on veut, de l'ambitieux classique. Seulement, ce n'était pas l'ambition qui conduisait celui-ci, en tout cas pas la seule ambition. Car enfin, le premier réflexe d'un homme qui parvient au sommet, après trente ans de vie passés dans ses banlieues, c'est de l'assurer, de s'y installer et, puisqu'il l'a voulu plus que tout, d'en profiter. Il n'y a pas d'exemple du contraire, ou plutôt il n'y avait pas d'exemple jusqu'à Gorbatchev, d'un homme qui, à peine en possession d'un tel pouvoir, le mette en jeu, en péril, aussi rapidement et aussi assidûment qu'il l'a fait, au nom de la liberté et de la dignité humaine. Ce n'était pas Machiavel, ou alors doublé de Don Quichotte. Et un Don Quichotte assez fou pour faire consciemment ce pari impossible. Car ce n'est pas pour rien que les bonnes âmes disaient : «Après lui ça ne sera plus pareil de toute manière!» (Ce «après lui» signifiant sa suppression brutale et définitive.) Ce n'est pas pour rien que les observateurs les plus froids prévoyaient sa chute tous les six mois. Comme ce n'est pas pour rien que le peuple russe a brûlé des cierges chaque soir pour sa survie. Il était «en instance de disparition». Et d'une cruelle façon : car ce n'était pas seulement ses ennemis qu'il devait craindre, mais ceux-là mêmes qui étaient ses amis : ces amis, qu'ils soient intellectuels, paysans ou provinciaux, ces amis grisés par le coulis d'air frais qu'il soulevait, ces amis en profitaient pour respirer, s'égosiller et lui rappeler, lui reprocher déjà, lui réclamer tout ce qui leur avait manqué cruellement, à eux et à leurs parents, pendant soixante-dix ans. Et ils voulaient plus, bien sûr, bien plus, et bien plus vite, que ce qu'il ne pouvait leur rendre que petit à petit. Ils ne se rendaient même pas compte que si Gorbatchev ne pouvait même pas s'appuyer sur ceux qu'il défendait, il tomberait à la merci de ceux qu'il excluait, condamnait.

Bien sûr, il avait, il a ce visage calme, viril, cet œil débonnaire et curieux et, sur ses lèvres pleines, ce sourire à la fois naïf et désabusé. Bien sûr, il avait cette assurance physique et cette vigueur, cette force contrôlée qui, j'imagine, lui permettait de trouver le sommeil. Mais il savait bien qu'on meurt très vite partout, et surtout au Kremlin. Alors dans quels rêves plongeait-il après avoir entendu le concert de cris, de chuchotements de ceux-ci, senti le vent de la haine et de la fureur de ceux-là, ou le froid et l'hostilité, l'incompréhension de ces autres? Sur qui s'appuyer? Vers qui se tourner? A part quelques proches, quelques complices placés çà et là mais qu'il ne pouvait pas trop voir, qu'il n'était pas prudent de trop voir, pour eux comme pour lui. Heureusement il y avait Raïssa : Raïssa qui le suivit lorsque, jeune couple brillant et diplômé de Moscou, ils furent envoyés par le Parti dans la sinistre ville de Stavopol, à 1 200 kilomètres de cette capitale qu'ils aimaient. Raïssa qui vécut avec lui dans cette province pendant les vingt-trois ans où on les y confina. Raïssa qui ne devint ni énorme, ni alcoolique, ni aboulique, et avec qui il sut et put partager la vie. Oui, il n'y avait que Raïssa qu'il pouvait retrouver le soir, comme Macbeth ne retrouvait que Lady Macbeth. Et il est vrai qu'ils évoquaient un peu, dans ces salles d'apparat, lugubres, lambrissées et encore sanglantes du Kremlin, qu'ils évoquaient un petit peu le couple de Macbeth. A sa différence, tournés vers le bien, non le crime, mais, comme lui, cerné de rumeurs et d'ombres hostiles, presque de fantômes.

« *The earth has bubbles, as the water has* », dit Shakespeare, toujours dans *Macbeth*. Et la terre russe en a produit, beaucoup. Beaucoup de ces bulles, monstrueuses et féroces, qui bien avant son arrivée à lui, Gorbatchev, imposèrent le terrible régime communiste, et ensuite le maintinrent : un régime qui avait si longuement, si mécaniquement permis, voulu, rendu classiques et quotidiennes des exactions épouvantables, qu'il devait être aussi difficile à présent de distinguer le bien du mal, que d'imposer le premier.

C'est une dure remontée et un terrifiant combat que mena Gorbatchev contre le passé de la Russie, contre son terrible présent économique et contre l'indifférence de l'Occident. Je lui souhaiterai pourtant, pour ma part, encore toutes les victoires. Car qu'on ne s'y trompe pas, que personne ne s'y trompe, s'il réussissait son fabuleux pari, il serait le héros le plus grand (et le plus solitaire) du XXᵉ siècle. Mais en cas d'échec l'Histoire ne se le rappellera pas. Car quelle que soit la grandeur de ses personnages, l'Histoire, comme les peuples, ne s'attendrit jamais que sur les vainqueurs.

Octobre 93

Ce destin de Gorbatchev, que j'imaginais donc à la Shakespeare, se déroula, se déroule encore, trois ans plus tard, à la Simenon. Ce n'est pas dans les lugubres couloirs du Kremlin mais dans les pièces exiguës d'un pavillon de banlieue moscovite que l'on empoisonne — et encore est-ce à force d'ennui — ce couple si célèbre il y a encore quatre ans.

Depuis les trois jours embrouillés du putsch militaire pendant lesquels les accusations et les démentis, les contradictions les plus invraisemblables se succédèrent, depuis ces quelques jours pendant lesquels les kidnappeurs ou les sauveurs de Gorbatchev eurent assez d'imagination pour faire craquer les nerfs d'une femme aussi visiblement forte et courageuse que Raïssa Gorbatchev (au point de la laisser paralysée d'une main), après ces trois jours donc, pendant lesquels il s'avéra que l'on pouvait l'abîmer, que l'on pouvait le blesser ou réduire à néant le pouvoir de Gorbatchev mais non pas le déshonorer, je les revis à l'occasion d'un reportage discret, projeté à une heure discrète, sur leur vie présente. Je les revis dans ce F4 isolé répondre dans un Neuilly quelconque de Moscou. Je les revis, solitaires et polis. Je vis cet homme tout-puissant se promener dans une allée enneigée, déserte, où seul un chien osa venir le saluer, si je puis dire : cet homme qui fut l'espoir, le sauveur, la délivrance de tout un peuple et qui provoqua dans le reste du monde la stupeur, l'enthousiasme ainsi que la méfiance la plus grande. Se rappelle-t-on que Gorbatchev fut de 84 à 89 le personnage le plus discuté de son temps et par le monde entier? Le personnage le plus aimé par certains, le plus craint par les autres, le plus admiré, le plus haï? Se rappelle-t-on tous les discours qu'on tenait, à l'époque, à son sujet? Et ces gens si prudents : «Encore une manœuvre des Russes! Vous allez le voir, votre Gorbatchev, avec les chars, à l'Arc de Triomphe! Comment voulez-vous que soixante-quinze ans de communisme s'écroulent d'un jour à l'autre? Vous êtes bien naïve!»

Je faisais partie de ces naïfs. Et j'en fais encore partie — des naïfs et des reconnaissants. Ce sont toujours les mêmes, d'ailleurs, ceux qui l'imaginaient si machiavélique, si fanatique et si habile, qui en parlent aujourd'hui comme d'un politique anonyme, marginal de l'Histoire, un hasard, un fantoche sans grandes idées générales, simplement un pion arrivé au bon moment. Et ils s'expriment avec la même énergie : «Le communisme était fichu, voyons! Tout le monde le savait! C'était dans l'air. Gorbatchev n'a fait que representer, pendant quelques mois, la révolte en masse, inévitable, des victimes de Staline. Au mieux, il a accéléré les choses. Et encore!... Un autre aurait pu aussi bien faire. La preuve en est la révolte, illico, immédiate, des pays de l'Est qui se sont secoués sans avoir besoin de Gorbatchev, eux. Non, le communisme était mort avant lui!» Ce sont les mêmes, oui, évidemment, à qui on pourrait répondre : «Oui, mais ce fut lui. Oui, il y avait en effet soixante-quinze ans de terreur et de méfiance à rejeter. Oui, et ce fut lui qui le fit. Oui, et ce fut lui qui parla, un jour, à la stupeur générale, de la menace atomique, des horreurs de la guerre et du droit qu'ont les êtres humains à vivre en paix. Et ce fut lui qui le fit d'une manière assez émouvante et assez sincère pour persuader tous les puissants de ce monde. Et ce fut lui qui décida, contrairement à ses prédécesseurs, de ne pas envoyer l'armée russe calmer les instincts démocratiques, justement, des pays de l'Est, lorsque ce vent de liberté, après s'être levé grâce à lui en Russie, s'engouffra dans les rues de Tchécoslovaquie, de la Hongrie, etc.

Il y a des chances pour que le silence d'abord puis les calomnies ensuite ne servent un jour à jeter la tache indélébile de la trahison sur sa personne et son destin; à nous prouver que stalinien convaincu puis fanatique, déguisé en démocrate, il a aveuglé le monde tout le temps; et surtout dupé les Russes, sous couvert de les libérer. (Oh divine duperie, si rare en notre temps!) Bref il y a des chances pour que l'on tente de faire de l'homme au sourire amusé et aux yeux vifs un arriviste maladroit ou un fou furieux, maintenant où la fameuse tache de vin mal cachée sous son chapeau va devenir le stigmate de sa félonie, peut-être serons-nous

quelques-uns, quand même, fatigués des réqui-
sitoires sans procès, ou des procès sans défen-
seurs, à nous rappeler notre stupéfaction, notre
soulagement et notre admiration pour cet
homme. Cet homme qui faisait Moscou-New
York ou Moscou-Paris, comme un trajet ordinaire de huit ou de trois heures, cet homme qui
remettait la Russie à son échelle géographique
et sentimentale, la géographie du passé, c'est-à-
dire à quatre mille kilomètres de Paris. Trop
loin, bien sûr, pour Balzac et pour Madame
Hanska quand ils se séparaient, trop loin pour
Napoléon après la Bérésina, mais assez près
pour que Tourgueniev se partage entre les
deux capitales, et que Trotski se réfugie,
comme tous les étudiants ou comme tout liber-
taire de son époque, à Paris.

Gorbatchev est un homme plaisant — ce qui
est rare chez les politiciens d'Europe et d'ailleurs — et un homme qui nous a rappelé que
l'âme russe, dans son essence, était plus proche
de la nôtre que l'âme américaine. Que Tolstoï
nous était plus sensible que Dos Passos et Ivan
Illich que Babbitt, et que même si le prince André
eût pu être un héros de Fitzgerald, les plaines

89

russes et leur houblon étaient quand même trois fois plus proches de nos champs de blé que les interminables maïs de l'Idaho. Saint-Pétersbourg, après tout, avait été bâti par un architecte français de vingt-deux ans, plus un Italien de vingt-cinq ans, et cette ville était plus proche de nous, esthétiquement, que San Francisco.

Bien sûr, je ne dis pas que Gorbatchev pensait à tout cela, mais il nous entraînait à le faire. Il nous rendait une idée civilisée de la vieille Europe — Russie incluse — une Russie que, depuis *Guerre et Paix*, nous n'imaginions plus qu'au cinéma.

Raïssa aussi était plaisante, qui semblait bien s'entendre avec son mari mais snobait froidement Mme Reagan, laquelle, visiblement, ne lui plaisait pas (comme le soulignaient à qui mieux mieux tous les journalistes). Et instinctivement nous étions pour Raïssa, qui suivait son homme et partageait ses opinions, plutôt que pour Nancy Reagan qui précédait le sien et lui dictait quoi dire. Le sourire réticent et forcé, évidemment, de Raïssa était plus véridique, finalement, que les dents uniformément découvertes et affables de Mme Reagan. Son sourire était vraiment le plus féroce. Seulement, quand Gorbatchev demanda à Reagan et à l'Europe de l'aider à nourrir son peuple, le géopolitique fit son œuvre. Et, bien entendu, les pays nouvellement amis, les fanas de Gorby, les chefs d'Etat les plus éclairés et les plus attentifs à ses efforts, ne firent pas ce qu'il fallait, lésinèrent, réfléchirent, hésitèrent trop longtemps, trop longtemps pour que Gorby s'en tire. Il dut passer du rôle de sauveur au rôle de responsable. D'autres le bousculèrent et prirent sa place. Et bientôt, suivie des mêmes ratiocinations, l'armée prendra le pouvoir. Une armée affamée, pas payée, désorientée, sans conviction en partant pour l'Afghanistan, et sans logis en rentrant chez elle. Cette armée qui va DEVOIR prendre le pouvoir. Et toutes les tentations fascistes ou communistes que peut provoquer la conjugaison de la misère et de la force vont l'assiéger.

Parsemée d'anciennes usines atomiques abandonnées, quotidiennement et mortellement dangereuses, morcelée en pays dont les habitants se détestent, dépositaire d'armes innombrables, victime d'une erreur judiciaire de soixante-quinze ans, et redevenue démocratique, la Russie actuelle est comme un prisonnier par erreur enfin libéré, redevenu libre, mais sans autres ressources que sa force et sa résignation. C'est un innocent affamé, sans but, sans ressources et sans liens. Des millions d'hommes ne comptent plus pour vivre que sur leur débrouillardise, en tout cas que sur eux-mêmes. Eux-mêmes individus membres d'une société éclatée et instable, où le seul groupe organisé, efficace, est celui de la Maffia, toute-puissante.

Gorbatchev qui ne doit sans doute d'être en vie qu'à la toute-puissance des médias d'aujourd'hui, à la force de la télévision dans le monde actuel, Gorbatchev dont l'absence subite paraîtrait trop voyante, si je peux m'exprimer ainsi, Gorbatchev assiste à tout cela. Mais dans quels sentiments? Est-il pire d'avoir un pouvoir qui ne vous permet rien, ou de ne plus avoir ce même pouvoir? Ressent-il quelque triste ironie à voir dans la même impuissance Eltsine se débattre à son tour? En même temps que du bel espoir d'il y a cinq ans, se sent-il responsable aujourd'hui de la terrible errance de la Russie?

Il aurait tort. Il a été l'homme de ce siècle, dans le bon sens du terme. Il a été le premier parmi ces sinistres vieillards, Brejnev, Khrouchtchev, etc., dont on avait sculpté le visage dans l'Oural comme symboles de la tyrannie, comme ceux des présidents américains découpés dans les Rocheuses comme symboles de la démocratie. Il a été le premier président russe à ressembler à un être humain.

Gorbatchev reste l'homme qui a accompli la libération la plus inimaginable, la plus désirée, la plus désespérée, que l'on puisse penser. Il a brisé l'affreux carcan, l'affreux esclavage, qui tenait des hommes par la terreur depuis soixante-quinze ans. Il les en a libérés très vite, sans réticence, et sans une goutte de sang. Et pour cela Chapeau! Bravo! Hourra! Merci! à Gorbatchev...

Lettres d'amour, lettres d'ennui —
George Sand et Alfred de Musset

Longtemps accessible en un seul jour, que ce soit sur un champ de bataille ou sur une scène de théâtre, la gloire n'est plus, aujourd'hui, qu'une célébrité qui survit à son créateur auprès de vivants, dont, bien sûr, lui-même ignore tout, dont il n'a jamais imaginé ni le physique ni le cerveau, mais de vivants qui savent son nom, la date de sa naissance, celle de sa mort, qui savent ses défauts, ses qualités, son talent, ses faiblesses, ses maladies et même ses amours les plus intimes.

Très curieusement, cette domination des survivants sur un mort, cette indiscrétion indéfiniment répétée au cours des siècles, très curieusement, cette gloire obligatoire et à l'avance assumée avec autant d'impuissance que d'ignorance, cette gloire future et inconsciente est très souvent le but, l'objet, le plus grand désir, pendant qu'ils vivent, de nombreux êtres humains. Comme si, en commentant, après, notre existence, des étrangers empêchaient qu'on l'ait perdue, tout autant que, pour que l'on se sente vivant, il faut que d'autres esprits se soucient qu'on le soit. En tout cas, des millions et des millions d'hommes sont morts pour cet écho, qui n'a résonné, d'ailleurs, que pour quelques milliers, et encore, souvent, ceux-là, ces glorieux-là, l'ignoraient-ils; et encore, parfois, ces glorieux-là ne le désiraient-ils même pas, cet écho! ou encore, le désiraient-ils pour une autre raison que celle qui le leur avait fait avoir. Et cette gloire, d'ailleurs, quand elle s'attache à des écrivains et qu'elle est racontée ou donnée à voir aux écoliers français, leur fait des formes des plus étranges et je dirai même des plus saugrenues.

Car enfin, je me posais la question au sujet de Sand et de Musset, car enfin, quels héros nous a-t-on laissés au cours de nos pérégrinations différentes dans les lycées ou dans les cours catholiques, dans les écoles libres ou dans les écoles de l'Etat ? Quelle image nous a-t-on laissée de ceux qui furent nos ancêtres, ensuite nos idoles et, sur le moment, souvent, nos ennemis mortels, à force d'ennui ? Victor Hugo ? C'était un grand-père, un débonnaire vieillard un peu coquin et fabricant de millions et de millions de vers. Vigny ? Un grincheux dans sa tour d'ivoire. Balzac ? Un gros homme, amateur de cannes, qui buvait du café et écrivait toute la nuit. Baudelaire ? Un homme au teint cireux, amoureux fou d'une négresse et qui eut des ennuis avec la Justice. Stendhal ? Un consul inconnu, malheureux avec les femmes. Molière ? Un courtisan malgré lui, ridiculisé par ses maîtresses comme le pauvre Racine. Bizarrement, il n'y aurait guère que deux personnages, et des plus opposés, qui sembleraient correspondre à leur écho, à ce fameux écho : Michel de Montaigne qui passe toujours pour un homme de goût, vivant tranquillement à la campagne en y réfléchissant, et Rimbaud, demi-voyou, demi-poète, marchant à pied sur les routes de France et buvant plus que de raison avec son ami Verlaine. Ces deux-là, au moins, ont, semble-t-il (quand on lit plus tard leur œuvre, leur véritable destinée et quand on la lit

99

par plaisir et non pas par devoir), ces deux-là, encore, ont quelque ressemblance avec leur «profil» scolaire.

Mais Sand, mais Musset, dont nous allons lire les lettres aujourd'hui? Quel souvenir classique nous en reste-t-il donc? Elle? Une femme un peu forte, un peu bas-bleu, qui, à Paris, s'habillait en homme, fumait le cigare et était excentrique et qui, à la campagne, redevenait la bonne dame de Nohant : croquis déjà un peu paradoxal, il faut bien le reconnaître. Musset? Un jeune poète foutraque et batailleur, phtisique et alcoolique, qui eut une histoire passionnelle avec ladite George Sand, et qu'elle trompa horriblement à Venise où ils vivaient ensemble, avec un nommé Pagello, médecin plus ou moins louche mais avec qui cette érudite amazone le ridiculisa longuement.

Je n'exagère qu'à peine. Tout écolier français, s'il a écouté et lu avec attention les propos de ses maîtres et les digressions de son manuel de

100

littérature, garde un souvenir comico-horrifié du trio de Venise : l'infernal trio, l'infernal voyage, l'infernale Venise! Au demeurant, si je me le rappelle bien, cette histoire ne dérangeait pas nos imaginations : George Sand, cette femme qui incendiait les sens et les cœurs quand elle était en ville, et qui se livrait à des travaux agricoles quand elle était aux champs, s'était comportée comme prévu dans cette vieille cité de Venise qui n'a vraiment rien de campagnard. Quant à ce pauvre Musset, il avait eu le malheur d'être là pendant l'une de ses phases incendiaires, voilà tout! D'ailleurs, on confondait légèrement, dans nos têtes, la silhouette de Musset avec celle de Chopin : on prêtait aux deux la même pâleur romantique, la même toux, la même maigreur, le même côté nourrisson brailleur et talentueux que semblait affectionner spécialement cette rude femme (dont nous n'avions supporté qu'avec grandes difficultés *La Petite Fadette* et *La Mare au Diable*, nous demandant, une fois de plus, à la lecture de nos manuels, ce qui avait bien pu choquer les lecteurs de l'époque dans ces deux petites nouvelles des plus sages, voire même des plus assommantes...). Et, finalement, cette liaison cynique avec un bel Italien, devant un poète à demi mort, flattait le cynisme de mise à notre âge : George Sand en devenait presque une héroïne de série B américaine.

Pour expliquer cette image primaire et injuste flottante dans nos esprits, il faut bien dire qu'à l'époque de Sand, il n'y avait pas le moindre média pour suivre les péripéties amoureuses de nos écrivains. Bien sûr, à notre époque, *Paris-Match*, voire même *V.S.D.*, et peut-être quelques autres journaux étrangers, auraient suivi à la trace les deux amoureux, auraient saisi au télé-objectif des gros plans de leurs disputes et, un beau jour, quelque paparazzo habilement déguisé en gondolier aurait présenté au monde du Tout-Paris, peut-être au monde entier, le profil plus ou moins mou du charmant médecin. Et peut-être cela aurait-il fait quelque beau scandale dont Messieurs les Académiciens de nos diverses académies et Messieurs les Chroniqueurs de nos diverses gazettes nous auraient abreuvés jusqu'à la satiété. Sand serait rentrée triomphalement à Paris et y aurait fait une déclaration fracassante, fort applaudie par des dames féministes ou trop trompées elles-mêmes. Quant à Musset, il aurait dû se cacher quelque temps à Saint-Tropez, avec quelque très jeune, très belle et très docile cover-girl, pour qu'on lui pardonne d'avoir été trompé de la sorte! Pagello se serait vu offrir quelque jolie somme pour écrire ses Mémoires: peut-être, en France, par un *Express* devenu un peu plus libertin encore qu'il ne l'est ou peut-être, et pour la même raison, aux U.S.A. par *Vanity Fair*!... Hélas! Hélas! Il n'y avait pas, à l'époque, ou il y avait peu de ces hardis reporters, capables de filer des amoureux à la trace, de photographier malgré eux leur vie la plus intime, et de raconter sur leurs amours les détails les plus extravagants et les plus inintéressants.

Il manque à Sand, Musset et tant d'autres, ces hardis chroniqueurs dont nous disposons, Dieu merci, aujourd'hui, pour la plus grande joie des lecteurs. Ah! — me disais-je encore avant-hier — si, à trente-deux ans, j'avais, comme George Sand, pris le chemin du Cap Cod avec le beau

Jean-Marie Le Clezio, pour en revenir, laissant celui-ci en proie au béri-béri sur un grabat, pour en revenir, par exemple, au bras du Docteur Barnard (tant qu'à rêver, rêvons plaisamment !...) ah ! me disais-je, cela eût fait, je l'imagine, quelque raffut ! Quelque raffut, quelques scoops et quelques photos inoubliables, et mon nom, plus tard, dans les manuels scolaires (en admettant qu'un jour, par miracle, il s'y glisse et, ainsi, parvienne jusqu'à nos pauvres enfants, si on ne les atomise pas d'ici là), mon nom, donc, eût été, lui aussi, roulé dans la boue.

Et pourtant... et pourtant, dans mon cas, je ne sais pas ce qui se serait passé, mais, je peux l'affirmer d'ores et déjà, le lecteur le verra en lisant aujourd'hui les lettres de ces deux amants terribles — et pourtant, Sand ne méritait pas cette honte ni lui cette compassion : leur histoire fut naturellement et, comme toujours, très différente de celle que nous propose l'Histoire, avec son fameux grand H.

104

Avant donc de lire ces lettres, il faut nous mettre bien en tête les héros, les deux épistoliers, leur vie passée, leur vie présente, leur époque. Bien sûr, il est impossible de résumer si vite une époque si riche, si lyrique et si romantique. Mais disons simplement très vite que c'était une époque où le sentiment était roi. Chacun, chacune avait des sentiments et en parlait avec liberté, avec effusion et, bien entendu, très souvent, avec grandiloquence. Cela ne veut pas dire que tout un chacun racontait les faits, les événements de sa propre vie à un magnétophone ou à un nègre chargé d'en tirer un de ces livres — presque toujours fort plats et toujours légèrement impudiques! Non! Chacun, au contraire, écrivait, de lui-même, les sentiments que lui inspiraient les faits, les événements de sa vie et en recherchait surtout l'élan, la musique, chacun tentait de mettre son émotion sur des feuillets noircis de bougies mais que chacun cachait soigneusement dans ses tiroirs, ou lisait à voix basse à ses meilleurs amis. Ecrire était un acte sacré, être imprimé était un idéal inaccessible et la littérature était considérée comme un art, un art réservé aux écrivains. Epoque, comme on le voit, des plus retardataires, mais où fleurissaient quand même quelques beaux talents aussi évidents et divers que Stendhal, Flaubert, Hugo, et tant d'autres.

En 1832, George Sand avait publié *Indiana* qui avait fait scandale, car elle y parlait de sa vie en tant que femme, de femme pensante, nouvel objet qui déconcertait les messieurs, et Musset, lui, avait écrit *Namouna* dans la langue qui était la sienne et dont la beauté déconcertait ou ravissait les femmes comme les hommes. Il avait vingt-deux ans, elle en avait six de plus, et, bizarrement, l'avantage en revenait à elle. La jeunesse, à l'époque, n'était pas une vertu : ce n'était qu'un âge ignorant, agité et ennuyeux et qu'il fallait passer au plus vite. Néanmoins, Musset avait plu à Sand. Il lui avait plu parce qu'il était beau, parce qu'il était séduisant, parce qu'il était jeune et emporté, comme elle lui avait plu parce qu'elle était célèbre, parce qu'elle avait du charme, parce qu'elle était impulsive et bonne, parce qu'elle avait une colonne vertébrale que lui n'avait pas encore et qu'elle avait quelque chose de très chaud sans doute qui transparaissait sous son apparence de sérieux et de dignité. Sand, on le verra, n'avait pas plus à voir avec l'amazone excentrique de la ville qu'avec la paysanne trapue de la campagne. Elle était humaine, ironique, drôle, quelquefois, peut-être, un peu scolaire, mais c'était une vraie femme avec un vrai cœur, de vraies faiblesses et de vrais abandons; alors que lui était déjà un homme fait. Dans la mesure où ses appétits, ses sentiments et ses ambitions étaient déjà confondus, mélangés, indistinguables. Il était déjà cette espèce de magma étrange, pas toujours séduisant, qu'on appelle un homme de lettres, mais l'époque en débordait. Alors que Sand, elle, à Paris comme ailleurs, sous toutes les latitudes, était une des premières femmes de lettres; et elle avait encore toute la gaucherie, toute l'enfance, de cette nouvelle espèce qui venait de naître en même temps qu'elle, encore titubante d'une liberté qu'elle réclamait plus qu'elle ne l'obtenait et dont, seuls, pensait-elle, les hommes, ses hommes à elle, pouvaient comprendre la nécessité.

Donc, Musset, le jeune et instable, le poétique et poète Musset. Elle et lui étaient supposés former un nouveau couple, le nouveau couple, où la femme aurait les rênes, la force, la direction, et où l'homme, lui, serait l'objet, la soumission, la faiblesse. Mais ils étaient déjà, et malgré eux, et malgré tout ce que l'on pouvait en dire, ils étaient déjà, et encore, et surtout, l'autre couple, le couple immuable, le couple le plus vieux et le plus classique qui soit au monde.

Il y avait lui qui voulait prendre ce qu'elle voulait lui donner, lui qui voulait garder ce qu'elle lui avait déjà abandonné : il y avait lui qui se prêtait et elle qui se perdait. Il était le chasseur et elle était la proie, voilà tout. Et qu'il l'appelât George, mon petit garçon, mon petit copain, et qu'il eût mal au cœur sur les bateaux pendant qu'elle s'en moquait en fumant des cigares, et qu'il s'assît et s'allongeât plus volontiers qu'elle, et qu'il eût des caprices et des nerfs de femme, tout cela n'empêchait pas que ce fût lui, lui, qui fût le prédateur et que ce fût elle, elle, la victime ; comme souvent, comme si souvent ; comme toujours dans toutes les idylles vécues par des femmes et écrites par des hommes.

Musset n'était pas, je le crois, plus sensible à cette nouvelle femme douée, intelligente, à cette nouvelle race, à cette nouvelle espèce d'être sensible avec qui l'on pouvait partager sa vie et ses pensées ; Musset n'était pas plus «féministe» dans ce sens-là, dans le sens noble du terme, que les féroces dandies du boulevard des Italiens. Il n'était pas plus sensible, il était simplement plus intelligent, plus ironique, il avait plus d'humour, et il devait trouver une sorte de plaisir amusé, peut-être pervers, en même temps qu'un charme d'enfance à se mettre à l'abri, apparemment, de cette femme aux larges et maternelles épaules, à jeter les armes, apparemment, et rester dénudé sous ses yeux impérieux et ses cheveux si noirs. Il devait trouver drôle d'être, apparemment, mené par le nez par quelqu'un dont il tenait le cœur dans son poing ; cette défaite-là lui permettait de laisser accuser son âge de ses jeunes débauches, de ses vices rameutés. Il laissait tous ses défauts, comme autant d'alibis, répondre de sa conduite, ce qui était quand même, déjà, le comble du cynisme, et, s'il admettait en soupirant que l'égalité de George existât, il laissait aussi supposer qu'elle était bien sévère, presque aussi sévère que ses défauts à lui, qui étaient divertissants.

On le voit, il n'y avait pas là grande différence avec les siècles précédents, ni même avec celui qui suivit. Non qu'il s'agisse ici de souligner chez George Sand une de ces femmes féministes qu'elle ne fut, au demeurant, jamais, et que, pour ma part, je n'ai jamais, non plus, beaucoup tenté d'approcher. Mais il est bien vrai que la tentative de ce couple de garçonnets — ce couple d'égaux, ce couple équilibré homme/femme-femme/homme —, il est bien vrai que la tentative de ce couple fut aussi un marché de dupes, malgré deux intelligences extrêmement éveillées et deux personnalités pour une fois égales en force, en renommée et en prestige, voire en talent.

Car ils avaient, néanmoins, ensemble, une passion, une grande passion, mais qui, semble-t-il, s'établissait un peu à l'avantage de George Sand : c'était la littérature. Elle était son alliée alors qu'elle était très souvent l'ennemie fuyante et démoniaque du poète ; peut-être parce qu'il ne la poursuivait pas assez souvent, alors qu'elle-même y consacrait, quoi qu'il arrivât, trois heures de ses jours, tous les jours de sa vie. Peut-être aussi parce que la Littérature était un peu lasse de n'entendre s'élever partout, depuis le début des siècles, dans le brouhaha de l'histoire, que toutes ces grosses voix rauques et masculines, peut-être avait-elle envie d'un ton plus distrait ou plus futile ou plus dégagé ou plus sincère. Et là, peut-être était-ce, en fait, la force de Sand que cette sincérité qui la mettait au sommet dans ses œuvres et en enfer dans sa vie personnelle.

Qu'on ne s'y trompe pas : j'aime, c'est vrai, mille fois plus Musset que Sand : et dans leur œuvre, et dans leur personne, et dans leur personnage. J'aime mille fois mieux le versatile, l'inquiet, le fou, le désordre, l'alcoolique, l'excessif, le colérique, l'enfantin, le désespéré Musset que la sage, l'industrieuse, la bonne, la chaleureuse, la généreuse et l'appliquée Sand. Je donnerais toutes ses œuvres à elle pour une pièce de lui : il y a quelque chose dans Musset, une grâce, un désespoir, une facilité, un élan et une gratuité qui me fascineront toujours mille fois plus que toute l'intelligence et la raison et la poésie paisible de Sand. Il n'empêche qu'à lire ses lettres, j'aurais préféré, je dois le dire, être l'amie de Sand que celle de Musset. Il est plus facile, quand on a des amis, de consoler que de blâmer, et quand serait venu le moment de consoler Musset, j'aurais peut-être eu du mal à savoir de quoi je le consolerais mais aucun à savoir de quoi l'accuser. Elle, en revanche, elle souffrait d'amour, elle souffrait d'amitié, elle souffrait d'estime, elle souffrait de tout ce que j'aime et admire, alors que lui souffrait de tout ce que je redoute et méprise, mais parfois ressens.

Et le lecteur de ces lettres sera, lui aussi, incliné vers l'un ou l'autre, depuis sa naissance. Néanmoins, il faut les lire, je crois, comme on vit, finalement, sans songer à juger qui que ce soit. Il faudrait presque les lire sans savoir que c'était elle, George Sand, la plus grande romancière de son temps, et que c'était lui, Musset, le plus gracieux des poètes et le meilleur des auteurs théâtraux. Il faudrait presque oublier que cela se passait en 1833 ; mais cela, leur ton ne le laisse pas oublier. Et, bien sûr, par moments, on bâille et, bien sûr, par moments, on a envie de rire, et, bien sûr, par moments, on s'étonne de tant d'emphase, et, bien sûr, par moments, c'est plus la malice qui nous monte aux yeux que les larmes. Et pourtant, c'est une histoire triste. Ces deux amants se sont décidés à se quitter, à lâcher leur amour, non sans difficulté, car ils tiennent l'un à l'autre encore, ils ont des souvenirs âcres, et douloureux, et pénibles, qui leur serrent encore la mémoire et le cœur. Ils ont décidé de continuer, puisqu'ils s'estiment, de rester amis. Il y a donc l'une qui tente réellement cet essai et qui, lorsqu'il part, reste avec un autre compagnon, qu'elle n'aime pas mais qu'elle aime bien, et qui l'aide, et qui l'aime, lui. Et puis, il y a lui qui s'en va avec un grand air de désenchantement et même avec cet air, comment dire, imperceptible sous les remords, cet air de générosité et de grandeur, qui le fait ressembler furieusement au poète trompé des manuels scolaires que nous avons lus. Et puis, il y a, petit à petit, cet homme

113

qui s'ennuie, qui ne trouve personne à Paris pour l'amuser ou pour le distraire autant qu'y parvenait cette femme qui avait quand même pour elle tous les prestiges de l'intelligence et de la sensibilité et ceux de l'amour qu'elle lui portait. Cet homme est à Paris, et il ne doit pas y avoir grand monde à Paris, il est un peu seul et il s'ennuie. Comme chaque fois qu'il s'ennuie, il n'a pas le courage d'épeler vraiment l'ennui, le mot *ennui*, qui donne *e, 2 n, u, i, point*. Et l'ennui de lui-même, l'ennui qu'il s'inspire ou que sa vie lui inspire, il l'appelle l'ennui d'elle, parce que c'est la plus proche, parce que c'est la plus vraisemblable, parce que c'est la plus prestigieuse. Alors, il retombe, il décide de retomber, il se laisse aller, il se pousse à retomber amoureux de Sand. Et, petit à petit, ses lettres changent et plus la correspondance va, et plus cet homme qui, pourtant, avait abondamment et tout le long du voyage, brutalisé Sand, qui lui avait reproché sa froideur, qui lui avait reproché son peu d'adresse au lit, qui l'avait trompée avec toutes les putains de Venise, cet homme qui avait ridiculisé froidement et cyniquement leurs rapports charnels, cet homme donne délibérément dans sa conversation, dans ses lettres, une tournure sensuelle à des regrets précis. Et comme il a du talent, et comme il a du cœur et toutes les apparences du cœur, même si ce cœur ne bat que pour lui, il arrive à la toucher, il l'émeut.

Et il lui écrit, un jour, une superbe lettre d'amour, la seule peut-être de tout ce recueil qui soit complètement moderne et qui vous fasse dresser les cheveux sur la tête quand on la lit, parce qu'elle est terrible, qu'elle est terrible comme la passion. Seulement, elle est terrible aussi quand on la relit après la dernière lettre du volume de Musset, qu'on se dit : quand même, ce n'est pas possible, que s'est-il passé entre cette lettre-là qui tombait comme la foudre et qui laissait cet amant nu, frissonnant sous la pluie, les regrets et le désir, qui le laissait les mains nues, le regard nu, qui le laissait les bras ouverts, prêt à tout, prêt à se donner enfin à quelqu'un, que s'est-il passé entre cette lettre-là et la dernière, si proche, où il se force à des commentaires sarcastiques sur lui-même, où il s'invente des remords, où il se joue une comédie furieuse à la seule fin de la tromper et de l'abandonner à jamais, maintenant qu'il l'a reconquise et que, de nouveau, elle souffre par lui?

C'est que Musset, comme bien des artistes, n'est même pas un jeune homme : c'est un enfant, et un enfant à qui on ne doit pas prendre ses jouets. Un médecin vénitien a failli le faire, un jeune médecin italien maladroit et benêt a failli y arriver. Eh bien, comme il le laisse échapper au cours d'une de ses lettres, eh bien, lui, Musset, va lui prouver qu'on ne lui prend pas comme ça ses jouets. Et même s'il a souffert vraiment lorsqu'il écrivit cette lettre, cette fameuse et superbe lettre, il n'a pas souffert assez longtemps.

Parce que elle, elle a craqué en recevant ce cri d'amour où il savait enfin lui rappeler ce qu'elle n'avait jamais oublié complètement, c'est-à-dire que c'était lui qu'elle aimait et que l'autre, c'était l'ennui. Mais elle, l'ennui, elle a toujours su comment l'appeler, elle l'appelle l'ennui de Musset et là, elle, ne ment pas. Il l'a donc reprise, il l'a donc harcelée de fausses questions, de faux soupçons, de fausses supplications, de faux reproches, il l'a accablée, assaillie, épuisée. Elle n'a pas d'argent, ses enfants sont odieux, tout va mal et cet homme se déchaîne autour d'elle qu'il ne laisse pas respirer une seconde. Il ne la laisse même pas travailler, et ce «même pas» est terrible pour elle.

Elle a donc tout perdu, apparemment, puisque, à la fin, c'est lui qui s'en va, puisque c'est lui qui, le premier, avoue que leur vie à deux n'est pas possible (même s'il l'a suppliée de casser le cœur d'un autre homme pour sa fantaisie). Néanmoins, bien que ce soit lui qui parte, donc, après avoir, une deuxième fois, ravagé le terrain et laissé une terre nue et brûlée comme un Attila sentimental, néanmoins c'est quand même elle qui a le dernier mot : parce qu'elle récupère, à l'avant-avant-dernière lettre, je crois, ce qui fait sa force, son charme, et, subitement, le côté tellement moderne de ce livre : son ironie! Ah, la terrible ironie de cette lettre que les lecteurs liront, j'imagine, avec la même stupeur et le même plaisir évident que moi. Eh oui! Eh oui, c'est là que naît enfin, pour la première fois, cette fameuse femme moderne, cette fameuse femme libre, cette fameuse femme sujet et non plus objet, dont on nous a tellement rebattu les oreilles et dont Sand elle-même parlait avec trop d'emphase et pas assez de véracité. Cette fameuse femme est là, dans cette petite lettre, qui conseille tranquillement à Musset de se calmer. L'ironie, l'humour, tout ce qu'on croyait les armes réservées au monde masculin, l'ironie, la plaisanterie sont là, chez elle, dans sa lettre, en réponse à une lettre démoniaque et furieuse, et qui en devient ridicule, d'Alfred de Musset. C'est là, et uniquement là, qu'elle gagne. Bien sûr, elle gagne tout au long puisque c'est elle qui aime et lui qui se laisse aimer. Bien sûr, disait-on à l'époque et dira-t-on encore maintenant, bien sûr c'est l'amour qui apporte tout et l'indifférence qui vous laisse sur le sable. C'est possible, mais certaines défaites font de trop dures victoires, et celle de l'amour donné et rejeté ne m'a jamais paru, je dois le dire, des plus grisantes. Non, ce qui sauve Sand, c'est cette lettre. «Calmons-nous ... calmons-nous! calmons-nous! A quoi jouons-nous? Qu'avons-nous donc fait tous ces mois, avec ce papier blanc et bleu qui courait de Venise à Paris et de Paris à Venise, ce papier qui nous a fait nous rejoindre, qui a fait rejoindre ton corps et le mien, ta bouche et la mienne, tes cheveux et les miens, comme tu les réclamais tant, ces mots qui de nouveau les dénouent et les séparent? Tout ce papier! Tout ce papier! Allons-nous vivre sur du papier toute notre vie? Toi oui, Alfred, tu es fait pour ça, moi pas, je suis une femme.»

Et là, brusquement, le mot de femme redevient celui qu'il aurait dû être, qu'il devait toujours être, le nom d'une chose ronde qui ressemble à la Terre et qui s'appelle la Terre, qui s'appelait «Gé» pour les Grecs: et qui est ronde, et qui roule, et qui roule, et qui rit, et qui est prête à tout ramasser, à tout prendre, à tout porter. Mais, aussi, à tout basculer, à tout laisser basculer, dans le silence et le néant de l'oubli. Car Sand oubliera Musset, Sand aimera Chopin. Et Musset, lui, qui aimera-t-il après elle, quelle femme, quel ami, qui?

C'est une question à laquelle il ne put répondre et à laquelle, en tout cas, l'Histoire elle-même n'a pas inventé de réponse.

---

* Texte rédigé en préface à une édition des lettres de George Sand et Alfred de Musset (Ed. Hermann, 1985).

Maisons louées

De tes maisons louées tu t'en vas d'un air fier :
Tu te crois regrettée en partant la première ;
Dans ces maisons louées, tu laisses derrière toi
Deux trois ans de ta vie et un peu de ta voix.
Tu en as tant quitté et laissé à l'arrière
De ces maisons louées devenues familières,
Et des chambres d'amour et des lits partages... ;
Dans tes maisons louées s'achevait ton enfance
Et s'usaient des bagages que tu ne fais pas mieux
Tu n'auras rien gardé de tes maisons qui passent,
Tu aimais la fenêtre, le lit, l'étagère
et ce tableau pensif qui te semblait à toi
mais que dans ta valise tu ne regardes pas :
il est à ses cloisons, il est à sa maison,
comme ton chat qui tremble sur ta valise ouverte.
Le soleil, dans ce coin, avait un drôle d'air et
la pluie sur la vitre, à l'automne,
faisait un drôle de bruit : tu ne reverras plus

ce soleil, étrangère que tu es à toi-même devenue,
et tu n'entendras plus ce doux bruit de gouttière
ni ce rythme précis : «Tu ne reviendras plus...»
Ne le dis pas trop fort, dis-le entre tes dents,
mais sache-le quand même : «cette fois est la dernière
que tu descends la marche — celle-ci, la même
qu'elle était avant-hier — Et qu'elle sera demain
sous un pied qui sera un autre que le tien.
Adieu maison, adieu cloisons, adieu murs familiers,
Adieu portes ouvertes sur mon corps refermées,
Adieu. Rappelle-toi... ce bonheur fou furieux
là... D'ici, l'autre est parti; et là, tu as gémi;
là-bas, un peu plus loin, tu as ri d'un troisième :
tu t'es même juré de refréner ta vie.
Adieu le rideau effrangé à l'aurore,
et le parquet qui glisse, et le disque rayé,
et le coin de la chambre que le chat saccageait.
Tu ne croiras jamais cette personne-là
qui veut rester partout et ne quitter jamais
ni les ports provisoires, ni les maisons louées,
cette femme bizarre, enfantine et ratée,
mais qui te suit partout et te fait des reproches
et quand même devant qui, parfois, tu te sens un peu
                                                    [gauche :
comme si en bafouillant et se prenant les pieds,
et en se cramponnant à tes maisons louées,
elle te re-répétait un air qui est le sien : celle,

Celle que de bail en bail, de quartier en quartier,
toi tu fais tout pour fuir, tu fais tout pour nier,
mais qui te suit partout et qui te fait pitié,
et qui est toi, mon ange et qui l'est à jamais,
et qui sera partout, dans tes maisons louées,
assise à t'attendre seule, sur le palier.

Les débatteurs

Je dirai tout de suite que, plus que celui de leur sujet, très relatif, l'intérêt des grands débats télévisés supposés faire des remous dans le public tient beaucoup pour moi à la personnalité des débatteurs convoqués et au rôle qu'ils y jouent. Ce sont, en général, on le sait, les personnalités les plus brillantes, les mieux renseignées et les plus à l'aise en public de la capitale : ayant, comme tout un chacun, un avis sur tout, mais contrairement à la plupart, sachant l'exprimer, ils sont régulièrement et fréquemment appelés à se contredire ou à s'épauler dans ces débats : pour la plus grande joie des Français, quand leur dialogue est amusant ou passionnant, ce qui leur arrive fréquemment.

Le seul rôle *a priori* immuable, à tout seigneur tout honneur, est celui du meneur de jeu, qui doit posséder toutes les vertus et parfois quelques défauts : l'autorité, la politesse, le sang-froid, l'érudition, la gravité, l'ironie, le tact, l'entrain, l'hypocrisie, la prudence, etc., etc. Certains font preuve de tout cela mais pas forcément dans la même soirée.

Après le «meneur de jeu» vient «la victime». Indispensable pour mettre un peu d'«humanité», de «densité», dans les débats. C'est, reconnaissable, l'homme psycho-maniaque et en haillons, si le débat porte sur le fisc, c'est l'homme mal marié trois fois et courbé sous les ramures, si l'on parle de l'adultère, c'est l'homme boitant encore sous son boulet s'il s'agit des erreurs judiciaires.

Présentée, de prime abord, comme une conséquence possible du sujet abordé, son histoire est racontée ensuite par le meneur de jeu, et pas forcément avec beaucoup de tact. Après un résumé douloureux, on lui passe le micro et, s'il n'est pas en larmes sur son propre destin, s'il peut encore articuler, ce sera d'une voix hachée, que tout le monde écoute. Tout le monde se penche, se tait, les femmes les premières, l'air ému. Souvent enhardie par ce silence compatissant, la victime rentre alors dans des détails, se répète, etc., et après avoir ému, il barbe. On lui reprend le micro et il ne l'aura probablement plus de toute la soirée. Peut-être fera-t-on une vague allusion à son nom, à la fin, pendant les bandes-annonces.

Après lui, numéro trois ou quatre, vient «le provocateur», le cynique. Celui-ci, dès le début, se révèle l'enquiquineur de la soirée. Il méprise tout le monde. «C'est honteux!...» «Cette émission est honteuse!...». «Les invités sont inaptes ou ineptes, la victime est ridicule, le meneur de jeu est payé...» etc., etc. Il parle à tort et à travers, interrompt tout le monde, agace énormément sans qu'on puisse l'arrêter. A la fin, il met le comble à l'exaspération en déclarant que, s'il avait su que cette émission était si ennuyeuse, si vaine, il ne serait pas venu, qu'il serait allé ailleurs, qu'il a perdu sa soirée. On le lyncherait volontiers.

Quatrième personnage : «le bonasse». Celui-là veut tout arranger et mettre fin à toute hostilité; il exaspère ainsi le meneur de jeu dont ce n'est pas le but, justement. «Il n'y a pas de véritable différence entre les gens», dit le bonasse. «Tout le monde a du bon sens, tout le monde est

131

français, patriote et réfléchi. Il n'y a pas de quoi fouetter un chat.» (Ni organiser ce débat, en fait, pourrait-il ajouter.) Il disparaît vite, Dieu merci, vidé par le meneur de jeu qui le raye définitivement de ses tablettes.

Il est remplacé, généralement, par le représentant du public. Celui-là attend une bonne demi-heure avant de lever la main et quand il se lève, c'est pour parler — annonce-t-il — au nom du public télévisé, au nom de tous ces braves gens qui ont commencé par regarder avec espoir cette émission sur le grave sujet que l'on sait. Serait-il en 89, il serait le délégué du Comité de Salut Public; là, il semblerait qu'il est délégué par toute la France. «Mais que vont penser les téléspectateurs?» s'écrie-t-il d'une voix navrante. «Quelles discussions fumeuses! Quelles vaines disputes lui inflige-t-on encore!... Comment veut-t-on que les téléspectateurs français puissent prendre nos dirigeants ou notre élite au sérieux en voyant cette mascarade? A-t-on oublié qu'il y a deux millions de personnes, de gens normaux, qui regardent leur poste en ce moment? Qui sont là, devant cette chaîne, pour regarder cette émission?» Les invités et le meneur de jeu qui sont justement là parce qu'il y a deux millions de personnes qui les regardent et qui non seulement ne l'oublient pas mais ne pensent qu'à ça, sont exaspérés par ce type. On lui arrache le micro. Il n'empêche qu'il se désolera, à voix haute, pendant toute la soirée, au nom du Peuple Français, et des malheureux auditeurs, etc.

Vient ensuite le délégué communiste. Lui arrive tout droit de sa cellule. C'est le seul qui ait un costume trois-pièces et une cravate. Il débite d'une voix monotone les mêmes clichés que l'on connaît depuis des siècles sur les travailleurs, la CGT, le peuple exploité et les horreurs du capitalisme. On le laisse faire ; il est inarrêtable, on le sait et son temps de parole est prévisible : il en a pour un quart d'heure. De temps en temps, un trublion, quelque part, crie : « Quelle honte, ce refrain ! Quelle litanie ! » mais, d'une manière générale, il est très bien supporté.

A moins qu'un autre personnage, le nommé, disons : Dupont-Dubois, ne se lève brusquement et ne le hèle, ce représentant du Peuple. « Sait-il par hasard, cet homme, que les vieux parents Dupont-Dubois ont été pillés, déportés, et son propre grand-père violé par les communistes tchèques?»

— Et comment peut-on être tchèque en s'appelant Dubois? demande alors maladroitement le membre du Parti. Là, il a fait une grosse erreur. «Hou! Hou! Raciste! Quelle honte!» s'écrie la foule. «Hou!... Hou!... Communiste!... Fasciste!...» etc.

— Vous-même n'avez pas de grand-mère maternelle, peut-être? demande Dupont-Dubois, hautain.

Sifflé, hué, le représentant du Parti, tout rouge, se rassied tandis que Dupont-Dubois triomphe.

A moins que Lenoir-Lemercier ne se lève de l'autre côté et n'interpelle à son tour Dupont-Dubois. Il est triste, calme et équitable, Lemercier : «Bien sûr qu'il comprend et qu'il respecte l'émotion et la tristesse de Dupont-Dubois, et au passage il s'incline bien bas devant la mémoire et le martyre de ses grands-parents. Seulement Dupont-Dubois doit aussi savoir que, lui, Lenoir-Lemercier, a vu toute sa famille également pillée, déportée, et son propre grand-père violé lui aussi : mais par les fascistes vénézuéliens, eux! Que peut-il répondre à cela?» Les deux hommes se regardent, se toisent, à la fois ennemis mais aussi petits-fils de victimes d'un viol également odieux; frères, bref.

Là, le meneur de jeu se doit de rendre un hommage funèbre aux victimes de ces deux familles, frappées par les mêmes avanies. Et élevant subitement le débat au point d'oublier les dissensions de leurs descendants, il déplore la cruauté humaine en général. Là, tout le monde acquiesce dans une mélancolie et une émotion enfin unanimes.

Pour réchauffer l'atmosphère, le meneur de jeu passe alors la parole au «campagnard». Le «campagnard» est un personnage paisible, bucolique, habillé de tweed et de grosse laine écrue; et qui, bien qu'il soit depuis toujours l'homme des bois et des champs, bien qu'il soit connu pour habiter le fin fond de l'Aquitaine, connaître toutes les lois de la nature, tous les caprices des saisons en même temps que toutes les cultures agricoles, tout ce qui touche, bref, à la vie de la province et des champs, lequel «campagnard» participe à toutes les émissions de toutes les chaînes plus ou moins reliables à ces vastes domaines par le biais de la littérature, de l'écologie, de la morale ou des faits divers. Cette vie campagnarde, doublée de ses occupations urbaines, lui laisseraient, d'après les calculs les plus poussés et les plus bienveillants, à peine le temps de descendre de train ou d'avion, dit-on. Mais, enfin, quelle que soit la frénésie de ses déplacements, elle n'ôte rien au calme et à l'équilibre de son attitude. Il est là, assis au milieu de tous ces Parisiens. Il a généralement un marron dans sa poche, qu'il pèle avec son gros couteau de campagne au risque de se blesser, lui ou ses voisins. Il a une pipe, qu'il ne fume pas, mais qu'il mâchonne de temps en temps, avant de la remettre dans sa poche en soupirant, les yeux baissés. Il s'essuie de temps en temps la moustache avec le dos de la main, d'un air las : car que fait-il sur son banc, alors que, à la campagne, on sent qu'il y a un chien prêt à mettre la tête sur ses genoux, les *Essais* de Montaigne qui l'attendent et un grand feu pour réchauffer ses genouillères? Aussi, quand le meneur de jeu l'interroge, c'est avec une sorte d'amabilité bourrue qu'il lui répond; il met même un certain temps pour donner cette réponse. Il commence par lever des yeux étonnés et se désigner du doigt, tout surpris qu'on l'interroge, lui, le rat des champs. Mais si! C'est vrai : le rat des villes l'interroge. «Oh, oh, bien, moi...» marmonne-t-il d'abord, souvent au bout d'un moment, exaspé-rant ainsi les autres débatteurs qui savent, eux, que le temps est compté, et qu'avec ses borbo-rygmes, il va les empêcher de sortir une théorie à laquelle ils tenaient. «Oh, bien, moi, vous savez, à ma campagne, à Guérand-les-Champs, on ne se pose pas tous ces problèmes. On se les pose autrement, plutôt. Y a un paysan, dans mon coin, qui vit avec deux cents francs par mois. C'est le fils de la Loupiote (qui lui a donné de son vivant deux hectares de seigle), et il vit de ces deux hectares de seigle. Je ne sais pas si vous savez combien ça coûte, le seigle, Messieurs», dit le campagnard — avec un bon rire indulgent — à la bande d'avocats, de journalistes, d'écrivains et d'hommes de gauche ou de droite qu'il a devant lui et qui le regardent, littéralement haineux. «Eh bien, le seigle, avec le GATT...» et là-dessus, il se lance dans des calculs sur le prix du seigle en Europe, avec le GATT, sur les exigences du seigle enfant pour devenir du seigle adulte, qui trans-forment peu à peu la haine générale en une torpeur profonde. Il faudra toute l'habileté de son voisin (qui lui subtilisera le micro en le remplaçant par son marron) pour rendre la parole au meneur de jeu et quelque vie à l'assemblée. On appelle l'«humoriste», alors, d'urgence.

L'«humoriste», après s'être levé, jette un long regard complice autour de lui, les yeux plissés, l'air prêt à rire, ce qui, après le «campagnard», paraît justifié, et même provoque quelques sourires confiants. Malheureusement il en fait trop. C'est qu'il discerne de l'humour et de fines allusions dans les propos les plus éloignés de cet objectif. «J'ai bien noté le gag du terrible récit de Monsieur Dupont-Dubois», dit-il dans un flash-back inattendu. «Je l'en admire. Je dois dire que cette petite pointe d'humour dans ce terrible récit nous a tous réjouis.» Chacun cherche désespérément quelle plaisanterie gisait dans cette aventure des plus pénibles et racontée aussi d'une manière lugubre par Dupont-Dubois. Serait-ce la forme d'avanie récoltée par ces deux vieillards qui provoquerait l'hilarité de ce crétin d'humoriste? On n'ose y penser. «Je ne ferai pas non plus l'insulte à Monsieur le campagnard de lui demander si c'est vraiment du seigle que contenait le champ de son paysan», reprend l'humoriste. «En tout cas, nous voyons avec plaisir que l'esprit se développe à la campagne. Et monsieur le campagnard n'a pas eu tort! car que veut le public, à présent, sinon se distraire, s'arracher à notre siècle sinistre... etc., etc.» On ne peut plus l'arrêter. C'est que notre joyeux drille connaît l'instabilité des gouvernants, le peu de sérieux des politiciens, la distraction des juges, le goût du gag de la police, et les farces en général de tout corps constitué. Entre deux éclats de rire, les siens, on lui reprend le micro et l'homme «tout d'une pièce» le récupère au soulagement général, mais hélas provisoire.

Car l'homme «tout d'une pièce» n'y va pas par quatre chemins. Il l'annonce illico : il déteste les fausses mesures, «Blanc c'est blanc et noir c'est noir», apprend-il aux francophones bien-entendants, groupés autour de lui et en mesure de l'entendre, auxquels il déconseille d'ailleurs de lui dire le contraire. «En 1940, on était pour Pétain, ou on était pour de Gaulle, par exemple, et c'est tout! Et ceux qui louvoient, qu'ils louvoient!... mais lui pas! Lui aime les situations nettes. Il sait bien que ça n'est pas à la mode, mais lui est comme ça, et il n'en a pas honte! Et si c'est ça qui fait rire Monsieur X..., là-bas, sur son siège, eh bien qu'il vienne le lui dire en face, ou plutôt dehors! Il se fera une joie de lui montrer de quel bois il se chauffe à Monsieur X..., Monsieur "tout d'une pièce"!»

Naturellement, Monsieur X..., qui parlait d'autre chose avec son voisin, se débat comme il peut. «Tout d'une pièce» s'élance vers lui mais on les sépare. On empêche, en fait, la seule bagarre un peu western, un peu physique et la seule possible puisque non motivée. C'eût été le clou de la soirée, à tous les points de vue. Et tout le monde la regrette, sauf Monsieur X... qui riait innocemment dans son coin et qui a eu chaud.

Le «Hautain» qui vient après, se demande, lui, pourquoi il est là et ce qu'il est venu faire dans cette enceinte. Il jette, tout en parlant d'une voix lasse, des regards désabusés sur les «personnages» qui l'entourent; et s'il ne piétine pas le micro (auquel il confie durant cinq minutes sa révolte devant la décrépitude de la pensée et la decadence de la langue françaises), il aimerait quand même bien le faire. Il se rassoit, accablé de lui-même et des autres, dans un silence révolté ou rigolard.

Il y a aussi le fou du micro, le fou de l'écoute, de la TV, du public, de lui-même, qui se transforme, par force, en «chouchou». Voulant avoir le micro le plus souvent et le plus longuement possible, il veut avant tout se mettre bien avec le meneur de jeu. Il veut lui rendre service, il reprend le micro aux autres avec précipitation, le lui tend, lui adresse des regards de connivence ou de compassion, l'appelle «notre cher X...», devine ses intentions, s'esclaffe dès qu'il plaisante, s'exaspère si on ne lui obéit pas au doigt et à l'œil. Il veut être le vrai «chouchou» du maître. Ses camarades de classe se moquent de lui mais il s'en fiche complètement : il aura le micro deux secondes ou deux minutes de plus, ce qui est son but. Ses convictions et ses actions d'antan lui sont complètement indifférentes. Les railleries ou les avanies lui passent par-dessus la tête. Comme retombé en enfance, il transpire l'odieux désir de plaire et de se faire remarquer. Il est prêt à abjurer tout haut tout ce qu'on veut. Après s'en être amusés, les autres finissent par en être gênés et le laisser parler — ce qui était son but — mais sans que personne ne l'écoute — ce qui le désespérerait s'il s'en rendait compte. Mais cela n'arrive jamais.

L'«Erudit», lui, est l'Historien. C'est un puits d'histoires, de détails, de dates, de vues d'ensemble; il sait tout sur l'enfance du Régent mais un petit peu moins sur les représentants et les intentions de son parti. Dans l'arène autour de lui, on s'en rend compte, de temps en temps. Gêné, l'«Erudit» fonce alors dans le paisible passé, du plus sanglant au plus calme. Il déclenche littéralement sa propre avalanche de dates; pour illustrer une vague idée, il évoque à la file la lâcheté de Pétain, la fermeté de De Gaulle, la politique de Pinay, l'incohérence de Sihanouk, les soucis de Queuille, les hésitations de Blum, la dégringolade soudaine de la politique de Colbert, voire la malchance de Vercingétorix... Il s'arrête de lui-même avant Cro-Magnon. Il trouve toujours, cela dit, un auditeur pour regretter qu'il s'arrête.

Enfin vient le «Martien» qui, lui, ne vit plus sur terre. Il ne lit plus les journaux, ne regarde pas la télévision, ne sait absolument pas comment il a pu arriver là. Il ne sait pas qui est qui, et on finit par se demander s'il est venu là par hasard ou si quelqu'un l'a vraiment invité; néanmoins son visage dit quelque chose à tout le monde. On n'ose pas l'interrompre avant qu'il ait fini son triste récit, le récit de son ignorance totale : il ignore ce dont il est question et même ce qu'il est lui-même. Il est au bord de l'amnésie et de la dépression. On le laisse tranquille, d'autant plus tranquille qu'il a vite fait de poser son micro. Le seul à le faire. Le «Martien», d'ailleurs, ne se rappelle même pas qu'il l'est et on ne peut pas compter sur lui. Ce sera un autre qui viendra à l'émission suivante.

Je passerai sur le «Tatillon», le «Défiant», sur le «Reader's Digest» et sur les «colériques». Je passerai, car il y a sans doute autant de personnages dans ces émissions qu'il y a à Paris de personnes capables, un micro à la main, de discuter de tout avec grâce, devant leurs pairs et deux millions d'inconnus. Je n'en finirais donc jamais. Aussi, comme d'ailleurs ne le ferait délibérément aucun d'eux avec son micro, vais-je poser là ma plume.

Le rire

Bien que le temps, en passant, nous découvre l'inexorable vérité des lieux communs de l'enfance, il y en a un ou deux, quand même, auxquels je n'ai jamais trouvé grand intérêt, tel par exemple celui dû à Bergson et selon lequel : «le rire est le propre de l'homme». D'abord — me semblait-il — le rire n'est pas particulièrement réservé à l'homme. Tout spectateur de film ou de télévision a vu des singes, les yeux plissés, toutes dents dehors, se tenir les côtes en versant de l'encre sur les équations d'un savant génial ou sur une robe de mariée. De même, tout propriétaire d'un chien a vu celui-ci, lors de son retour au foyer ou de quelques jeux familiers et bêtas, se rouler sur le dos, les babines retroussées sur ses dents de côté; l'hilarité étant très évidemment ce que ces deux animaux inférieurs à l'homme, dit-on et sait-on, éprouvent et expriment.

Ensuite, me disais-je un instant, en quoi le rire, pour agréable qu'il soit, reste-t-il toujours si innocent? Car il l'est. On n'a jamais honte, vraiment, de rire : et pourquoi? Le rire est involontaire (ou peut l'être), bien sûr, et on a honte parfois de tomber dans les larmes, ou le sadisme — pulsions tout aussi involontaires. Mais on ne peut avoir honte de rire; car rire est un réflexe triomphant. Personne ne peut avoir raison contre un rieur, ne peut gagner contre lui. Personne, en plus, ne peut commander, déclencher ni arrêter le rire d'autrui (... et Dieu merci). Et l'on sait bien que n'importe quel tiers, témoin d'un rire que, par ignorance ou incompréhension, il ne partage pas, décuple automatiquement ce rire en fou rire; et que sa gêne, sa frustration et son agacement, transformés en une vraie humiliation, le jettent dans une des rares situations où la seule issue soit la fuite.

Le rire est aussi l'un des principaux indicateurs dans cette enquête sans meurtre qu'est la jalousie du jaloux-né. Personnellement, je ne fais pas partie de la race si souffrante qu'ils représentent. Il m'est arrivé de voir quelqu'un que j'aimais avec un peu d'exclusivité parler avec une autre personne intensément, ou lui chuchoter quelque chose pour moi inaudible, sans en ressentir la moindre inquiétude; en revanche, je dois le dire, entendre ce quelqu'un rire avec n'importe qui, de ce rire ravi, complet et confiant que lui et moi partagions jusque-là tous deux seuls, m'a toujours alarmée : car si ces deux rieurs avaient déjà cédé ensemble au plaisir partagé, sensuel, du rire, pourquoi ne pourraient-ils pas céder à d'autres penchants moins innocents et plus profonds? ...

C'est que le rire a un énorme atout pour lui : il est physique. Il a tout le naturel, la vigueur, l'absence de moralité des réactions physiques : comme (très prosaïquement) l'éternuement, mais comme aussi le plaisir. Et l'on sait à quel point les désirs, les besoins, les élans et les faiblesses du corps sont innocentés et quasiment respectés et considérés de nos jours.

Le rire est ensuite en deçà ou au-delà de la société, de la morale ou de l'ambition. Le rire ne sert à rien, ne prouve rien et peut même, dans un mauvais moment, briser une carrière, une histoire d'amour, des relations mondaines, que sais-je... quand il est devenu ce qu'on appelle «fou» (pour une fois, le terme de folie est assez adéquat), devenu donc le maître des nerfs, donc du destin de quelqu'un. Même si on les évoque plus dans les romans que dans la vie, il y a des rires que les gens ne pardonnent jamais — pardonnent moins, en fait, que les insultes — : pour la bonne raison qu'une insulte dirigée contre vous est un signe d'attention, même agressif, malgré tout ; alors que rire devant vous, que l'on rie de vous ou non, signifie qu'on vous oublie. Et l'oubli, on le sait, est la pire des insultes.

Le rire est profond, puissant, exclusif. Il ne laisse pas place à d'autres sentiments, ni à d'autres expressions. Et d'ailleurs, quoi de meilleur que cette gaieté, cette insouciance, ce naturel, dont on est de plus en plus sevrés dans l'existence, et dans les spectacles d'ailleurs, à mesure que la radio, la télévision et les médias infligent leur médiocrité au «Comique français». Lequel comique reprend toute sa vigueur et son cynisme à la première occasion. Car il est inexorable, définitif. Le rire est tout ce que l'on voudrait être, ou plus exactement, tout ce que l'on voudrait que chacun de nos sentiments soit : accompli, intouchable, instinctif et résolu. Il procure à la fois plaisir et fierté — duo rare d'après Freud et le pape actuel.

Le rire a eu autant d'importance dans ma vie que l'amitié et l'a, le plus souvent, accompagnée, disons doublée. Il a été, il est un des éléments essentiels de mon existence quotidienne. J'ai eu de la chance à ce propos : d'abord parce que je suis née dans une famille où, quand les enfants disaient pour expliquer leurs bêtises : «Oui, mais qu'est-ce qu'on s'est amusés!», bien sûr ce n'était pas une excuse suffisante mais c'était tout au moins une circonstance atténuante. Une famille où chacun avait des plaisirs d'humour différents, tout en se plaisant beaucoup à celui des autres; une famille où, si la politesse était exigée, elle n'excluait pas l'ironie, et souvent l'invitait.

Et puis, plus tard, j'ai eu la chance, le temps, l'occasion, la possibilité, de fréquenter des gens qui étaient drôles et qui en devenaient de ce fait de vrais amis, se montrant, du même chef, susceptibles d'amitié. Parce qu'il y a dans le goût du rire, dans son usage fréquent (je ne parle pas du rire sarcastique, forcé, amer ni diabolique, je parle du rire qui naît de la cocasserie, du comique ou de l'horreur de l'existence), il y a donc, je trouve, dans le rire, de l'abandon, de la générosité, bref de l'innocence — ou le regret de l'innocence. En tout cas du goût pour elle, un goût qui s'entend très mal avec la si aisément médiocre méchanceté. Les gens méchants, les gens avides, les gens avares, les gens prudents se méfient du rire puisque le rire détend les nerfs, et aussi, chez eux, une corde qu'ils tiennent à garder tendue. L'aspect, le côté relâché du rire les inquiète, les énerve, les pousse même finalement au mépris, ce mépris silencieux, et si content d'exister en silence qu'il en devient infect. Mais quelle joie de découvrir cette condescendance chez quelqu'un qui ne faisait jamais que sourire de vos plaisanteries! Quelle joie, surtout, quand quelqu'un d'autre pleure de ces plaisanteries ou en rit à tue-tête! Quel bonheur de mépriser qui vous méprise, ou, tout au moins, de s'en moquer! Des souvenirs me reviennent à la mémoire, parfois, en y pensant, comme autant de découvertes tardives, et je dois les repousser avec énergie pour continuer à écrire, par exemple, et ne pas me rouler de joie sur mon divan.

Mais, bref, ayant ri dès mon enfance (et parfois dans des circonstances lugubres, mon père ne supportant pas la moindre borne, la moindre contrainte ni la moindre bienséance, à son rire), je plongeai dans la célébrité avec un goût du comique qui, je crois, m'aida beaucoup à éviter les plus funestes écueils de cette célébrité, dont ce fameux «coup de grisou» supposé intoxiquer les âmes les plus fortes, et dont on s'accorde à déclarer, dans les milieux les plus divers, qu'elle n'a pas ébréché ma modestie naturelle. Il faut dire que ma famille, endurcie depuis cinq ans à mes prétentions et à mes délires littéraires, ma famille qui, depuis que j'avais douze ans, faisait des crochets dans les couloirs en m'apercevant, munie de papiers, car je lisais mes tragédies à la première victime assez faible ou assez fatiguée pour ne pas m'éviter, ma famille ne vit dans mon premier roman que la plus récente de mes divagations et de mes élans intellectuels. Elle ne s'inquiéta pas de la possible adhésion d'un million de Français à ces sottises et me laissa publier ce que je voulais, en plaignant mon éditeur. Là, on sait la suite... Cela ne désarma pas cette sorte de condescendance qui, Dieu merci, règne dans toutes les familles à l'égard de ses membres les plus jeunes, surtout quand ils sont un peu bègues et qu'ils invoquent Nietzsche comme on invoque le journal du jour et qu'ils prennent des airs penchés à la moindre rime, ce qui était mon cas. Bien qu'un peu ulcérée par cette condescendance classique et amusée, je crois néanmoins que celle-ci fut un contrepoids idéal aux flots de louanges et d'invectives que je reçus subitement de tous côtés. Et aujourd'hui je sais que j'aurais peut-être acquis, sans ma famille, une de ces discrètes mais indéfectibles auto-admirations qui bercent certains auteurs tout au long de leur existence, et empoisonnent leur entourage, proche ou lointain. J'ai encore de vagues espoirs que mes amis, pendant toutes ces années, aient plus ri avec moi que de moi. Ce en quoi je me trompe peut-être, d'ailleurs.

Partageant ma vie, donc, par la suite avec des

gens qui aimaient rire, j'en ai même connu pour qui le rire était une sorte de sacerdoce. Ils ne respectaient rien en privé, rien en public, et trouvaient le côté drôle de tout, y compris d'eux-mêmes, et ce, même à leur désavantage. Le côté drôle de tout, sauf?... Ce «sauf» arrête encore ma plume, jusqu'ici glissante, et m'empêcherait de poursuivre, à moins d'admettre qu'il n'y avait pas de «sauf»: les chagrins sentimentaux (les seuls attristants, en général, que nous ayons alors à supporter) étaient la proie des facéties des uns ou des autres, excitaient l'ironie quand c'étaient ceux d'autrui, et l'humour, quand c'étaient les siens. Car il ne faut pas oublier que si le rire est une cuirasse, voire une arme blanche, il peut être aussi, dans les cas graves, une armature, une minerve, qui vous tient debout: sourire forcé, parfois, mais tête droite... Malade de chagrin, bien sûr, mais voix égale. Avec, parfois, même dans la déception amoureuse la plus cruelle, ce déferlement inattendu causé par trois mots, une image, une idée, qui nous faisait retrouver notre gaieté et notre vraie nature dans l'éclat d'un rire dont on aurait renié, sinon l'existence, du moins la possibilité. Pas complètement, hélas! Le rire peut sonner triste, voire faux. On rit comme les chiens, quand on est très malheureux; on ne rit pas : on aboie. On ne pouffe pas : on jappe; sans bien reconnaître, d'ailleurs, sa propre voix. Et les témoins sensibles, s'il y en a, sont gênés de cette raucité animale. Peut-être ai-je là une idée saugrenue, peut-être personne ne jappe-t-il le moins du monde, même dans les chagrins dont je parle. Peut-être ai-je écrit là n'importe quoi, sans même y croire moi-même : juste pour avoir l'air observateur... Voilà qui serait amoral et me ferait aboyer après par les gens sensés, et mordre au mollet par les critiques, outrés de ces faussement fines remarques! Et de ne plus rire! Et de me taire!

Pour en revenir au rire, je me sens obligée, tels les candidats à ces jeux richement primés de la télévision, qui disent bonjour, au passage, à leurs parents, leurs époux, leurs collègues et la «petite Colette», je me sens obligée de citer Jacques Chazot, le meilleur des amis et le plus drôle des hommes drôles de Paris. Un homme qui, en quarante ans, ne m'a fait pleurer que de rire. Il est impossible de citer un mot de lui, une facétie : il y en a trop, car son humour comporte de l'extravagance, de la cocasserie, un faux bon sens, une imagination et un sens du dérisoire joints à une absence réelle de recherche, qui rendent ses plaisanteries non seulement désopilantes mais réjouissantes, du mot réjouir : qui vous réchauffent le cœur d'avoir ri. Il n'y a pas tellement de rires dont on n'ait pas un peu honte à Paris, mais le sien, celui qu'il procure, en est un. Le miracle est que lui-même trouve encore autant de satisfaction à faire rire après tant de temps et tant de succès dans ce domaine. Il devrait en être lassé, certains jours, semble-t-il.

Ce n'est d'ailleurs pas un miracle, je le sais par expérience. Je me souviens d'être restée sur une marche, dans le hall de *l'Atelier*, où l'on jouait *Château en Suède*, et quelques années plus tard, dans l'escalier du *Gymnase* où l'on jouait *Le Cheval évanoui*, à écouter rire les spectateurs. Je crois vraiment qu'il y a peu de choses aussi délicieuses (à part peut-être voir arriver son cheval premier à Auteuil), il y a peu de choses aussi délicieuses, donc, que cette houle, ce rire arraché à la gorge de centaines de personnes, heureuses d'être assises là, à votre merci, immobiles, hilares, attendant la prochaine bêtise de vos héros avec impatience, et devenues, de ce chef, vos complices, amis et vos proches parents. C'est un délicieux pouvoir de faire rire, le seul que je connaisse concrètement, et le seul, d'ailleurs, que j'aime à exercer — sur plus d'une personne, s'entend.

Rire. Faire rire. Rire soi-même. Revenir au plus naturel de cette personne privée, que l'on fréquente si peu et qui est soi-même, et déclencher en elle quelque chose qui est à la fois l'enfance, l'adolescence et la vieillesse, quelque chose qui relie notre appartenance à ce monde et notre recul devant lui : notre goût avoué de la vie et notre refus dédaigneux de la mort, réunis ne serait-ce que trois minutes, mais trois minutes d'un bel et bon orgueil.

Car, qu'il soit féroce ou doux, suave ou sardonique, le rire, comme le soulignent l'adjectif et la locution qu'on lui accole si volontiers : l'irrésistibilité et les éclats, le rire est avant tout cette preuve éclatante et irrésistible de notre liberté première.

Federico Fellini — Le Tsar italien

*Je pris le train du soir, le Paris-Rome, le
«Palatino», pour aller voir Fellini tourner à Cinecittà. Je n'avais pas envie d'avions ni de leurs
altitudes inhumaines pour cette rencontre. Il me
semblait au contraire qu'il valait mieux rester au
sol et suivre la douce courbure de la terre pour
retrouver cet homme né de notre planète, sorti de
sa glaise et sensible à sa rotation — qu'il s'en
sentît selon les jours le seigneur ou l'esclave...*

Ses fantasmes et sa nature, me semblait-il, ne
le projetaient pas comme d'autres vers l'immaté-
riel, vers l'espace et vers l'absurde mais au
contraire l'enfonçaient, le tiraient par les pieds
vers le centre, le noyau même de cette terre.
«Notre boue a des douceurs, notre humaine et

tendre boue», disait Cocteau, et il me semblait que Fellini, à travers les débauches tristes et baroques, les crudités fatiguées de ses films, en avait lui suffisamment souligné la certitude.

Mais dans ce début de voyage, les secousses et les grincements de ce vieux train somptueusement et fallacieusement nommé le «Palatino», ce n'était pas Cocteau, mais le lointain Joachim du Bellay qui me tenait éveillée — cherchant en vain à compléter quelques-uns de ses vers psalmodiés à l'école, il y a belle lurette : «rien ni... ni... ni... le petit Palatin... rien ne vaudra pour moi la douceur angevine». Poème fort chauvin, ânonné donc dans la période bienheureuse de l'adolescence et demi-oublié, semblait-il, dans les périodes bienheureuses qui suivirent celle-ci. Je suppliai puis suppliciai ma mémoire mais en vain. Au réveil je n'avais toujours que le petit Palatin à opposer à la douceur angevine mais en revanche, c'était une campagne de vignes, une campagne plate que sanglait la mer, qui filait derrière ma fenêtre. C'était une campagne ostensiblement italienne et c'était celle de Fellini, je ne sais pas pourquoi. Car s'il y a dans ma mémoire visuelle une campagne Visconti, une campagne

Antonioni, une Bolognini, etc., il n'y a pas en revanche de campagne Fellini. Celle-ci, sous mes yeux, n'était pas si belle au demeurant. C'était une plaine triste piquée de maisons délabrées et pauvres, une plaine sans charme. Mais si le talus que bordaient les rails était fané, de l'autre côté c'était la bleue, la somptueuse Méditerranée qui s'y roulait. Et dans cette opposition se glissait ce mélange d'entente et d'ironie, de complicité et de sévérité qui me semblait être le rapport même de Fellini avec son Italie.

En arrivant, après avoir loué un engin motorisé et fait trois fois le tour de Rome, je me retrouvai devant le portail de Cinecittà, le saint des saints. J'y arrivai curieusement émue car c'était pour moi un endroit mythique, et qui l'est toujours d'ailleurs, grâce au Maestro et son fameux studio 5.

Cinecittà, pour ceux qui l'ignorent, est une grande prairie cernée de murs et dont l'herbe usée est striée par quatre routes défoncées, au bout desquelles se trouvent des hangars nommés studios, style Hollywood mais sans l'ordre hollywoodien. On monte et on descend ces routes sur tous les engins possibles, de préférence pétaradants. Le tout est bien sûr sévèrement gardé par un cerbère auquel mon sensible accompagnateur dut hurler mon nom et ma profession pendant quelques minutes, à ma grande confusion : «la Sagan, la Sagan», criait-il pendant que je me blottissais derrière mon volant. Enfin on nous libéra et nous filâmes dans le studio, l'antre, le repaire, le fief du Maestro.

J'avais connu Fellini quinze ans plus tôt à Paris pendant une soirée chez moi où le hasard et un ami les avaient amenés, sa femme et lui. Je me le rappelais confusément comme un grand et gros personnage qui n'avait pas quitté son manteau de la soirée et se taisait aimablement pendant que sa femme exquise chantait à tue-tête la vie en rose avec quelques amis à moi musiciens. Mais c'était dans un autre appartement, dans une autre vie et c'était un autre individu aussi, que j'avais rencontré. A Cinecittà, je vis un homme de loin d'abord, grand avec des épaules larges, mince, vêtu de noir et avec sur la tête un chapeau qui n'était pas un folklore ni une passion mais un chapeau accessoire, qu'il enlevait ou qu'il gardait, comme une femme peut se servir d'un foulard. Sur ce corps américain était posée

164

en revanche une tête parfaitement italienne, une tête de César, avec des cheveux et des yeux bruns, un nez droit et un menton carré. Et ce n'était pas un César indolent. Il n'y avait rien de mou dans la mâchoire, dans le dessin de la bouche, ni dans le regard : c'était au contraire un visage plutôt passionné me sembla-t-il, passionné et par moments adouci d'une distraction qui se voyait à un battement de cils, à un regard détourné. Mais il répondait avec précision à tout ce qu'on lui demandait et Dieu sait qu'on demande des choses à un metteur en scène, pendant un tournage! Imaginez cela multiplié par dix pour un Fellini, qui a six assistants excités de tourner pour lui et cinq cents figurants délirant de joie de figurer pour lui. Ce qui fait une jolie pagaille, pagaille chaleureuse et bizarre, typiquement fellinienne. Car dès l'instant que j'avais mis le pied sur ce tournage, j'avais été entourée d'êtres humains, d'objets, d'un oxygène et d'une herbe fellinienne : grosses femmes habillées de rouge, visages comiques ou tendres, comportements saugrenus, décor râpé, caméra elle-même fantomatique, tout cela baignait dans la constellation du Maestro.

Pourtant, c'était la réalité pure qu'il tournait ces jours-là : un téléfilm d'une heure le montrant aux prises avec quatre Japonais journalistes, un téléfilm qui s'appellerait «l'Intervista» et où on le verrait dans ses œuvres ou, plutôt, dans les œuvres des journalistes. Sujet réel donc mais la réalité de ce décor et de ce Cinecittà, qui après tout appartenait à tous les autres metteurs en scène de Rome, n'était étiquetée que de son nom, impression que renforçaient ses figurants, fascinés par lui ou attirés ou effrayés mais toujours glissant, rôdant, se plaçant devant ou derrière le Maestro. C'était l'empereur, le roi, le tyran et surtout, semblait-il aussi, l'ami de chacun et le tsar de tous. Ajoutons à cela que tournant Fellini en train de tourner, on ne savait plus, quand un homme criait dans un porte-voix : «Silenzio», si c'était l'assistant, le vrai, qui demandait le silence ou un figurant qui jouait l'assistant demandant le silence. Le délire et la gaieté régnaient, la tension aussi car tout le monde semblait vraiment concerné quand la caméra tournait. Tous ces sentiments qui flottaient dans l'air me gagnaient peu à peu et me maintinrent derrière l'arbre où je me cachais gênée, gênée de regarder

166

travailler quelqu'un en pleine imagination, chose qui me semblait une indiscrétion effrayante. Que ferais-je, me disais-je, si Fellini venait s'asseoir dans mon fauteuil en face de moi à la maison pendant que je remplissais mes petits cahiers. Et je le regardai pendant dix minutes, déambuler, réfléchir, rire, donner des conseils et des ordres, jusqu'à ce que l'on nous présentât l'un à l'autre et qu'il m'accordât avec une gentillesse amusée la liberté de me promener sur son plateau à mon gré.

Je dois dire, outre ce portrait rapide, qu'il y avait longtemps que je n'avais vu un homme aussi séduisant et un créateur aussi débonnaire. Tant et si bien que mes questions journalistiques, si je les avais préparées, seraient tombées d'elles-mêmes dans le comique ou, pire, dans la lassitude qu'engendrent chez deux esprits un peu légers les idées générales. Nous ne parlerions que de détails, mais les détails, on le sait, sont parfois, non pas plus révélateurs, ce qui est un terme de police, sont parfois plus passionnants que les lieux communs les plus sérieux.

Ce jour-là, on attendait quelque chose ou quelqu'un qui avait eu des ennuis de voiture, qui devait jouer le soir sa représentation habituelle et qui aurait peut-être le temps ou pas de tenir son rôle devant la caméra du Maître. Les phrases : «Est-ce qu'ils arrivent? — sont-ils partis? — les a-t-on retrouvés?», étaient celles que l'on entendait le plus et je commençais à me poser des questions sur ces trois figurants débordés, éreintés, trop sollicités, malchanceux de plus en voiture, lorsque j'appris qu'il s'agissait de trois éléphants, effectivement pensionnaires d'un cirque qu'ils devaient rejoindre après un crochet devant notre caméra. Or ils avaient disparu sur la route. Et je voyais les figurants, les assistants, ou les figurants jouant les assistants jeter vers le Maître des yeux à la fois inquiets mais confiants. Car avec le Maestro, on ne restait jamais en rade. Il pouvait improviser n'importe quand, n'importe où. Il remplaçait n'importe quelle scène au pied levé par une autre. Ce qu'il prouva en décidant de faire arriver Fellini, jeune homme, à Cinecittà à l'âge de dix-neuf ans, quelques lustres plus tôt. Et je vis arriver en effet un jeune homme qui me prouva que Fellini n'avait pas pour son adolescence la complaisance et l'attendrissement que lui portent généralement les quadragénaires, romains ou pas.

Le jeune Fellini était un long jeune homme brun, assez gentil garçon mais doté d'un bouton énorme sur le bout du nez qui l'attristait visiblement beaucoup, ce que je trouvais tout à fait normal. Il était fort désagréable, pour trois jours de tournage, d'être défiguré de la sorte. Il me fallut quelque temps pour apprendre que ce bouton n'était que provisoire, surajouté, qu'il était une exigence de Fellini lui-même et que dès six heures, cet adolescent allait abandonner son acné dans sa loge pour retrouver sa bien-aimée avec un visage lisse. Lui-même semblait trouver ce défaut tout à fait superfétatoire. Seulement voilà, les mœurs étaient moins libres il y a vingt-cinq ans ou trente ans. Lorsque Fellini était un jeune homme pubère, les filles étaient moins faciles ou les femmes moins affamées. Bref, les jeunes gens avaient des boutons de temps en temps. Et parmi eux il y avait eu un jour, le jour où il s'était présenté à Cinecittà, justement, le jeune Federico Fellini. Décidément, avec ce bouton et son complet noir étriqué, ce jeune homme n'avait rien à voir avec les superbes adolescents de *Satyricon*. Fellini n'était pas un homme à confondre son idée d'adolescence avec la sienne.

C'était un créateur et j'avoue que je m'en réjouissais en pensant à certains des nôtres. Il n'y a plus beaucoup de gens d'imagination, hélas, qui sachent distinguer leurs mythes de leurs vies privées, qui sachent distinguer leurs fantasmes de leurs souvenirs. La jeunesse, pour eux, c'est eux-mêmes jeunes. L'amour, c'est eux-mêmes amoureux. Et c'est pourquoi on voit souvent tant de films si désespérément anonymes avec des héros si terriblement quotidiens et si désespérément banals dans lesquels nous sommes censés nous retrouver et qui n'ont rien de commun avec nous sinon de n'être pas exemplaires. Autrement tout nous en sépare. Fellini savait cela : qu'il y a autant de différence entre deux quotidiens qu'entre un quotidien et l'exemplaire.

Vers midi et demi, Fellini décida qu'il était l'heure de déjeuner et tout le monde eut faim. Nous nous retrouvâmes dans une auberge en pleine campagne, dix à une table croquant gaiement des olives. C'est alors que se rappelant l'urgence de cette interview, il envoya tout son petit monde, son épouse comprise, à d'autres tables, devant moi, morte de honte. Chaque invité déjà assis ayant même commandé son menu se leva avec l'air débonnaire, pour nous laisser en tête à tête. Enfin à trois têtes puisque nantis d'une traductrice qui devait accommoder mon italien exécrable et le français plus que convenable de Fellini. En plus de son charme naturel, je dois avouer que cette traductrice me parut miraculeuse car j'aurais très bien pu rester assise à cette table à manger du jambon et à regarder le ciel sans rien dire, parfaitement à l'aise. Fellini était un homme auquel je n'avais pas besoin de parler pour me sentir en compagnie, en sa compagnie. Nous en vînmes ainsi à parler de tout et de rien, de la chaleur, de l'été indien qui planait sur Rome, des gens, des relations entre les gens. Il était évident qu'il trouvait la vie et son métier passionnants, beaucoup plus passionnants en tout cas que son personnage. Et que lui opposer? Nous étions des personnes amusées, intéressées par les mêmes choses, toutes deux dépendant du public, toutes deux dépendant de notre propre imagination, de ses sursauts, de ses fatigues, toutes deux passionnées par ce que l'on appelait notre métier qui n'est qu'une folie. Une folie qui par bonheur touchait les gens qui nous voyaient ou nous lisaient, mais bonheur qui nous imposait en même temps un personnage public dont nous étions évidemment un peu lassés.

Je lui demandai la raison de tous ces figurants et il m'expliqua que pour chacun de ses rôles, de ses seconds rôles, il faisait venir des dizaines de figurants, que chacun d'eux lui paraissait avoir un visage supérieur, plus intéressant ou plus vivant que son rôle et qu'il était obligé ainsi d'en multiplier le nombre. Je lui parlai du jeune homme qui le représentait, enfin qui le relayait, et il me dit que la jeunesse lui paraissait à plaindre car l'amour sans le goût du péché devait être une chose sinistre. D'ailleurs, me dit-il et il se mit à rire, quand il était petit il était dans une école où les professeurs étaient complètement fous *pazzo*; l'un d'eux avait l'habitude le lundi matin, quand les petits garçons rentraient, de les mettre debout devant lui et de leur demander sur le même ton et à la même vitesse : «Au nom du Père, du Fils et du Saint-Esprit, combien de fois t'es-tu touché depuis deux jours?»

Les petits garçons, naturellement, criaient :

«Jamais! jamais!» jusqu'au jour où le professeur eut l'idée géniale de dire : «Comment, jamais! Celui qui avouera sortira un quart d'heure plus tôt que les autres.» Le lundi suivant : «Au nom du Père, du Fils et du Saint-Esprit, combien de fois t'es-tu touché ce week-end? — Huit fois! dix fois! quatre fois!», hurlèrent les enfants enchantés à l'idée de sécher quelques cours. Ce professeur était fou, conclut Fellini enchanté.

C'était d'ailleurs un homme qu'il était étrange d'entendre parler à l'imparfait. Fellini a toujours été pour moi un oracle. Tous ses films sont sortis comme pour souligner le problème ou l'obsession de l'instant, de l'époque. Or, comme on le sait, trois ans séparent l'idée d'un film de sa projection. Et Fellini, à chaque fois, avait été non pas le chroniqueur de son siècle, mais son prophète. Mais de cela je ne lui parlai pas car ce n'était pas un homme à compliments. Il les aurait secoués comme le taureau secoue les banderilles gênantes, pointues, pas graves, mais gênantes. Qu'aurait-il dit si je lui avais assené le reste de mes louanges, c'est-à-dire qu'il était un des rares metteurs en scène complets de notre époque? Le cinéma actuel, me semble-t-il, appartient à trois races de réalisateurs : ceux qui veulent illustrer un thème par des personnages assommants et ennuyeux et qui finissent par discréditer ce thème. Ceux qui au contraire, ne voulant raconter qu'une histoire, ne nous laissent dans la tête qu'une intrigue sans écho. Et ceux enfin qui disposent d'un thème et de personnages également forts et savent les fondre dans un chef-d'œuvre. Fellini était un de ces rares derniers. Non, ce dont je pouvais lui parler, c'était au maximum du goût du vin, de l'odeur de la terre, de la musique.

Au bout d'une heure ou d'une heure et demie, il parut se rappeler soudain qu'il était un metteur en scène et qu'une troupe piaffait en l'attendant. Et il disparut dans sa voiture vers le plateau où je le rejoignis un peu plus tard. Les éléphants n'étaient toujours pas arrivés et s'ils avaient été tout près, leurs barrissements auraient été audibles, j'imagine. Fellini devrait donc renoncer pour de bon à leur présence, à ces notes de couleur ahurissantes qu'il devait simplement et luxueusement faire passer dans son champ comme un symbole de Cinecittà et de ses folies. Il changea son fusil d'épaule et ses éléphants pour une mariée. C'est ainsi que je vis une jeune femme vêtue de blanc et suivie d'un bel homme descendre l'allée de Cinecittà à l'encontre d'un vent jeté par une soufflerie violente qui leur lançait à la tête, à elle et à l'homme, des flots, des vagues de confetti de toutes les couleurs qui giflaient ces mariés marchant vers un avenir que l'on devinait désespéré. Elle avait les yeux pleins de larmes, les confetti la frappaient, elle serrait les dents et sous le soleil et sur ces prairies, cela avait un effet extravagant. Et cruel. Oui, cette belle jeune femme noyée de confetti et de larmes, cette jeune femme dans sa belle robe blanche, était un spectacle des plus cruels. Et pourtant, pourtant il m'avait parlé des femmes aussi à table comme d'un merveilleux cadeau : la chose la plus fascinante et la plus indispensable à l'homme qui ait jamais existé. Il avait dit ça sérieusement. Il ne prenait pas ce petit air sournois, graveleux ou sinistre, ce petit air protestant des uns ou des autres. Il l'avait dit avec cet air d'évidence, de bonheur et presque de gratitude pour le démon fou, le démon intelligent qui avait créé la femme, les femmes. Il en parlait avec sensualité, envie, mais aussi avec une sorte de considération tout à fait ébouriffante pour une créature qui avait passé sa vie chez les Gaulois.

J'allai lui dire au revoir. J'embrassai son épouse avec toute la jalousie qu'elle peut inspirer et toute l'amitié qu'elle inspire aussi, et lui me serra dans ses bras avec cette espèce d'affection virile qu'ont certains hommes pour les femmes. Je me retournai sur le seuil de Cinecittà. Je le vis debout, grand, sombre et beau, l'air étonnamment jeune, l'air vraiment d'un conquérant.

Maintenant, maintenant, que ce refus total de tout système, que cette liberté d'esprit, que cette chaleur, cette nonchalence du geste et cette rapidité du dialogue, que cette carrure et tout ce charme cachent un homme horrifié par la mort, en proie à d'affreuses angoisses, au doute de soi-même et à la peur de vivre, je ne jurerais pas le contraire. Mais qui peut jurer le contraire de quiconque, ou d'ailleurs de lui-même ? Le principal en société n'est-il pas l'enveloppe ? Or l'enveloppe fellinienne est la plus brillante et la mieux refermée sur ces distorsions, sur ces sursauts de l'âme que ne peuvent pas éviter la nuit, le jour, les passagers provisoires de cette planète, ces invités, ces bannis à la fois que nous sommes tous, avec plus ou moins de lucidité et de grâce. De lucidité pour s'en rendre compte et de grâce pour l'oublier, ou pour faire semblant. Disons que Fellini l'oublie admirablement bien. Et le fait qu'il ait eu apparemment une enfance, une carrière et une vie privée heureuses, n'enlève rien à son mérite. Tout cela n'a jamais suffi à faire d'un homme un gentleman. Et Fellini en est un.

La ville buissonnière

Pour raconter cette histoire, il faut que je me souvienne de Paris, de Paris l'été. Les feuilles de marronniers sont sèches et craquantes sous les pas, les rues blanches. Une sorte de poussière se lève parfois au coin des rues et vient mourir à vos pieds. Il n'y a plus personne sauf parfois, comme c'était mon cas cet été-là, des malheureux étudiants que les examens de juillet ont livrés à l'opprobre de leurs parents et aux affres du travail.

La pension où j'étais était dans un quartier résidentiel et calme. Nous travaillions les fenêtres ouvertes sur la chaleur étouffante, malades d'ennui à l'idée de la mer et des plages que nous avions délaissées. La seule distraction était, à la fin de l'après-midi, les promenades en groupe dans les rues désertes. Ces promenades m'étaient vite devenues insupportables tant par la monotonie du trajet que par la honte que j'éprouvais à me promener en troupeau de filles.

Sous un prétexte quelconque, je m'en étais fait dispenser. Il me restait donc, à la tombée du jour, une heure à passer seule, à me promener sur le gravier crissant et mélancolique de la cour et à m'asseoir sur les bancs poussiéreux, j'aimais d'ailleurs cette heure lente et grise. Je m'étirais, je bâillais, je comptais les arbres, je goûtais cette solitude un peu fade. Mais un jour où j'avais accompagné une amie jusqu'à la sortie de la pension, le gardien ferma la porte derrière moi et je me retrouvai seule et libre avec une heure complète devant moi dans un Paris inconnu.

La Seine était proche. Je l'avais aperçue lors d'une promenade. D'ailleurs... les rues descendaient vers elle comme des affluents de pierre, je n'avais qu'à les suivre. J'avais rarement éprouvé un tel sentiment d'aventure. Je portais encore un vieux tablier d'écolière, noir et tache d'encre, mais je m'en souciais peu. Une ville, une heure m'étaient offertes. A moi de les prendre. Si je ne parvenais pas à rentrer en même temps que les autres, je serais renvoyée, mais déjà je n'y pensais plus. J'étais arrivée au quai, la Seine se retournait lentement devant moi.

La Seine était jaune et bleue et étincelante. Il était six heures et le soleil l'abandonnait à peine, au fond d'un ciel pâle. Je descendis les marches et commençai à marcher sur la berge. Il n'y avait personne et je m'assis sur le parapet, les jambes ballantes. J'étais parfaitement heureuse.

Au fond du quai, je vis arriver une ombre, à contre-jour. C'était une silhouette noire et maigre, avec un balluchon au bout du bras. Mais elle avait une démarche aisée et souple, plutôt celle d'un sportman que d'un clochard. C'est seulement quand il fut près de moi que je distinguai son visage. Il avait environ cinquante ans, des yeux bleus et d'innombrables rides. Il me regarda un instant, hésita et sourit. Je lui souris en retour; alors ils posa son balluchon près de moi et me demanda : «Puis-je m'asseoir?» avec une intonation parfaitement mondaine comme si la Seine et ses rives eussent été mon salon. Je lui souris sans répondre car je me sentais intimidée, et il s'assit près de moi.

Il ne me demanda pas ce que je faisais, ni mon nom, ni mon âge, ni quelle raison me poussait au bord de la Seine à six heures du soir en tablier noir. Il sortit une cigarette de sa poche, me l'offrit, puis en alluma une pour lui. Il avait de belles mains d'oisif, les ongles juste un peu sales. Nous restâmes quelques minutes sans rien dire, puis il se retourna vers moi : «Vous allez voir passer une des plus vieilles péniches de la Seine. Il y a trois ans que je la connais et trois ans que je m'étonne qu'elle flotte encore.» Nous vîmes passer une très vieille péniche, mais elle m'intéressait peu. C'était cet homme qui m'intéressait et cela m'étonnait moi-même, car j'avais à peine seize ans et les livres m'intéressaient beaucoup plus que les êtres humains. Je lui demandai s'il lisait et je rougis aussitôt car je trouvai ma question stupide, adressée à quelqu'un qui n'avait manifestement pas les moyens de s'acheter un livre. Mais il me répondit qu'il avait beaucoup lu et me demanda quel livre je lisais en ce moment. Je le lui dis et il m'en parla avec beaucoup d'ingéniosité.

Bientôt, je me levais d'un bond, réalisant qu'il était près de sept heures; il me revenait des réflexes de peur, de punition; je lui dis qu'il fallait que je m'en aille tout de suite. Il dit : «C'est dommage.» Et puis avec un petit rire : «Vous avez donc des heures si précises?» Et il ajouta qu'il allait rester là, qu'il serait content de me voir le lendemain. Il me promit qu'il m'apprendrait des choses qui m'amuseraient peut-être sur l'auteur du livre en question. C'était Flaubert, je ne connaissais rien de Flaubert et l'idée que ce clochard me l'apprendrait me parut très plaisante. Je lui dis au revoir et repartis en courant jusqu'à la pension. A un coin de rue, je rencontrai la promenade, je me faufilai dans un rang et rentrai sans encombre.

De ce jour commença une bizarre semaine. Je m'échappais sans histoire, courais à la Seine et y retrouvais mon ami. Je ne savais pas son nom, il ne savait pas le mien, nous parlions de tout et de rien, assis sur le parapet, tandis que la Seine changeait de couleur devant nous, devenait grise, puis blanche. Le soleil disparaissait, je savais qu'il me restait dix minutes, je me tournais vers lui avec un sourire triste et il souriait aussi, me tendait la dernière cigarette avec un petit air de pitié. Cette pitié, cette commisération pour mon souci de l'heure ne laissaient pas de m'énerver et je finis par lui dire que j'allais en pension et que je serais renvoyée si j'étais en retard. Il ne parut pas du tout impressionné, mais il prit l'air sérieux et me plaignit. Entraînée par mon élan, je me dis que j'aimerais beaucoup mieux être comme lui, et me promener sur les quais. Il se mit à rire : «C'est beaucoup plus difficile que vous ne le croyez! Il y faut des dispositions!»

Je lui demandai lesquelles. Il me répondit qu'il fallait «savoir vivre». Or, pour moi, vivre c'était avoir des amis, de l'argent, danser, rire et lire. Il ne faisait rien de tout cela. Je résolus, en y pensant toute la soirée, de lui demander le lendemain ce qu'il voulait dire par vivre.

Le lendemain, il pleuvait un peu. Mes camarades sortirent quand même avec des imperméables et je partis de mon côté avec mon tablier noir sous la pluie. Je courus tout le temps tant j'avais peur qu'il ne soit parti. J'arrivai essoufflée, trempée, et le trouvai sous l'arche du pont avec son éternelle cigarette. Il commença par sortir de son balluchon un énorme chandail, plutôt sale et troué, qu'il m'enfila sur mon tablier. Les gouttes de pluie tombaient lentement dans la Seine. Elle était triste et boueuse. Je lui demandai ce que c'était qu'il entendait par «vivre» et il éclata de rire : «Vous avez de la suite dans les idées, mais après tout, je m'en vais demain. Je vais vous raconter.»

Alors il m'expliqua qu'il avait une femme et des enfants, et une très bonne voiture et de l'argent. «Une excellente situation, disait-il en riant. J'allais au bureau à huit heures, je travaillais toute la journée, je retrouvais le soir ma charmante femme, mes beaux enfants, je buvais un cocktail. Nous dînions avec des amis, nous parlions des mêmes choses, nous allions au cinéma, au théâtre, nous passions nos vacances sur de très belles plages. Et puis, un jour...»

Un jour, il en avait eu assez. Brusquement, il s'était rendu compte que sa vie passait, qu'il n'avait pas le temps de la voir passer. Qu'il était pris dans un engrenage, qu'il n'avait rien compris à rien, et que dans vingt ans peut-être il serait mort, sans avoir rien fait d'autre que conserver un certain standing.

«Je voulais voir le temps passer, le jour descendre, je voulais écouter le battement du sang à mes poignets, éprouver la dureté et la douceur des jours. Je suis parti. On m'a déclaré irresponsable, on me donne un peu d'argent. Depuis je me promène. Je regarde les fleuves, les ciels, je n'ai jamais rien à faire, je vis. Je ne fais que ça. Ça vous paraît bizarre, je suppose ? »

Ça ne me paraissait pas bizarre. Je réfléchissais seulement que j'allais moi aussi être un jour prise dans un engrenage, je voyais mon temps pris, ma mort prochaine, tout ça sans avoir rien vu, rien compris ; peut-être fallait-il se débattre. Se débattre durement. Pour la première fois, je lui pris la main. Elle était dure et sèche, mais c'était un contact agréable.

C'était peut-être mon seul ami et il allait partir, je ne le reverrais plus. Je lui posai la question et il me répondit qu'il ne me reverrait sans doute jamais, mais que ça n'avait pas d'importance. Qu'une semaine d'été au bord de la Seine était une bonne semaine pour avoir un ami et le perdre. Puis il me sourit et partit. Je le vis s'éloigner dans le soleil.

Je rentrai en courant à la pension. Il n'y aurait plus de fuites dans les rues blanches vers la Seine. Mais il y avait autre chose, une espèce de fatigue heureuse. Et le goût du temps accroché a moi comme une bête désormais familière.

Le cheval

Je fais partie des dix ou quinze ou vingt pour cent de Français ou d'êtres humains qui, devant un cheval, éprouvent un mélange d'admiration, d'exultation et de ferveur tout à fait à part. Le cheval, dans tous les sens du mot, me transporte. Que ce soit dans les vieux westerns, que ce soit dans les concours hippiques, que ce soit sur les champs de courses, l'arrivée, le passage de ces animaux si beaux, si déliés, si forts et si fragiles — cette grâce, cette nervosité, cette respiration —, quelque chose dans l'encolure, dans le frémissement, dans l'allure, quelque chose de fier, d'un peu farouche, cette crinière, cette robe me fascinent et me touchent. D'ailleurs, pourquoi dit-on «le pied», «la bouche», «l'épaule», d'un cheval, et non pas l'échine, la patte ou le poil, comme pour n'importe quel mammifère? C'est parce que sa beauté le fait respecter depuis toujours par tout le monde. Et si la langue française, qui a le génie des exceptions, a respecté pendant des siècles ce vocabulaire spécial et déférent, c'est que cela correspond à quelque chose de valable. Notre langage est autrement plus vif et adapté à notre vie que nos coutumes.

Le cheval fut tout d'abord le plus bel invité de Noé sur son arche, avant de devenir la plus noble conquête de l'homme, hors de ses cavernes. Puis il devint le seul moyen de liberté, le seul recours de l'homme dans les siècles qui suivirent, contre cette prison interminable et sans barreaux, contre ces étendues désertes, tourmentées ou riantes à l'œil, mais pour lui sans attrait dès l'instant qu'elle s'interposait entre ses plus vifs désirs et sa vie : découvrir, connaître les pays étrangers, leurs habitants, leurs modes de vie, leurs femmes, dont lui avaient parlé tous les livres (s'il savait lire) ; mais le voyage d'un homme à pied était sans espoir ou presque : c'était comme naviguer sans voile, comme partir à la rame sur ces immenses étendues d'eau qui séparaient les continents (s'il y avait un autre continent).

La terre était interminable, à pied. On pouvait partir vers l'est, par exemple, mais l'on ne revenait jamais, en tout cas jamais par l'ouest. La Terre était plate, aussi plate qu'elle le semblait, d'ailleurs, à tout le monde, mis à part ce Galilée qui avait été tellement puni de soutenir le contraire. En revanche, sous un cheval au galop, la Terre semblait, tout a coup, ronde; sous des sabots, la terre roulait. Les collines, les prés, les plaines, les montagnes, les villes, les hameaux, les châteaux et les masures défilaient comme autant d'images d'ailleurs et de voyage, consentantes, tourbillonnantes, tournoyantes. Sans oublier la sécurité d'une monture : car le voyageur à pied était à la merci de deux autres piétons maraudeurs ou d'un seul cavalier. Votre cheval était à la fois votre sauvegarde, votre compagnon, votre complice et votre aide. De sa vigueur, de son obéissance surtout dépendait votre survie, durant cent siècles qui ne s'achevèrent qu'avec Henry Ford.

En attendant, de Lascaux à Longchamp, l'homme dessina, peignit, admira, glorifia le cheval, son serviteur (et son maître parfois, quand il était de mauvais poil). Les chevaux fous des

Mongols, les palefrois des seigneurs en route pour la Guerre Sainte, les destriers des Mousquetaires, les coursiers russes, les hommes aimèrent ces violents serviteurs, compagnons de leur mort et de leurs amours.

Et moi aussi, cette passion me vient de loin. Quand j'avais huit ans, nous habitions, l'été, en famille, une maison perdue, à la campagne. Mon père y ramena un jour un cheval, qu'il venait d'arracher à la boucherie, sans doute, qui s'appelait Poulou et que j'aimai aussitôt passionnément. Poulou était vieux, grand et blond. Il était aussi maigre et fainéant. Je le menais par le licol, sans selle ni mors, et nous nous promenions dans les prés des jours entiers. Pour l'enfourcher, vu sa taille et la mienne — je devais, en plus, peser vingt-cinq kilos — j'avais mis au point une technique qui consistait à m'asseoir sur ses oreilles pendant qu'il broutait — et il ne faisait que ça — et à m'agiter jusqu'au moment où, excédé, il relevait le cou et me faisait glisser tout au long, jusqu'à son dos, où je me retrouvais assise dans le mauvais sens. Une fois perchée, je me retournais, je prenais le licol, je lui donnais des coups de talon et poussais des cris de paon jusqu'à ce que, par gentillesse, il partît dans la direction qui lui plaisait. Nous en avons parcouru des kilomètres dans le Dauphiné, Poulou et moi, baguenaudant, errant — parfois trottant quand il voyait un champ de trèfle qui lui plaisait ou un ruisseau. Il était, autant que moi, insensible au soleil. Tête nue, nous montions et descendions les collines, traversions des prés, en biais, interminablement. Et puis des bois. Des bois qui avaient une odeur d'acacia et où il écrasait des champignons de ses gros fers, cliquetant sur les cailloux. A la fin du jour, souvent, je n'avais plus de force. Le soir baissait. L'herbe prenait une couleur gris fer, inquiétante, qui le faisait galoper tout à coup vers son fourrage, vers la maison, à l'abri. Il galopait et, penchée en avant, je sentais son rythme dans mes jambes, dans mon dos. J'étais au comble de l'enfance, du bonheur, de l'exultation. Je revois la maison au bout du chemin, la grille au bout, le peuplier ondoyant à gauche. Je sens les odeurs de là-bas, je revois la lumière du soir. Arrivée, je me laissais glisser de côté, je tapotais la tête de Poulou avec la condescendance, l'assurance, que me donnait la terre ferme sous mon pied, je le menais dans sa remise ; et là, tout affligée, je le laissais devant son fameux fourrage, plus attentif à son menu qu'à mes baisers.

C'est de ces promenades que j'ai gardé, par la suite, cet équilibre et cette sorte d'aisance que donne la chevauchée sans selle. Depuis j'ai monté un peu partout, j'ai fait un peu d'obstacle, j'ai parcouru les forêts de Saint-Germain, de Fontainebleau et de Chantilly, les plages de Tunisie, les plaines de Camargue et surtout, surtout — grâce à une tante exquise — les Causses du Lot où je suis née et où tous les ans je me retrouve perchée sur un cheval de la famille... perdue sur des kilomètres de cailloux, sans un toit à l'horizon ni une âme. Il m'est arrivé, par les chaleurs d'août, de plonger dans des rivières tout habillée avec mon cheval tout harnaché, et de m'y rouler. Il m'est arrivé de me perdre dans ces montagnes pelées et de dormir dans le cou de mon cheval quand il faisait froid. Il m'est arrivé aussi, assommée par une branche, à demi évanouie, de me ficeler à ma selle et de redescendre comme dans les films de cow-boys, livrée à l'initiative et au sens de l'orientation de mon porteur. Il m'est arrivé de pleurer de fatigue aussi, égarée dans la nuit tombée et dans l'absence de toute lumière, perdue «*sans mât, ni fertiles îlots*». Il m'est arrivé de tomber et de me retrouver sur le dos, dans l'herbe, sur la terre, maudissant tout quadrupède, me maudissant de m'y être juchée. Il m'est arrivé aussi de trotter, les étriers déchaussés, dans les mimosas, au-dessus de Mandelieu, dans une odeur incroyable. Il m'est arrivé de galoper si vite dans une forêt que chaque obstacle passé dans l'élan me soulevait le cœur de plaisir et de peur, dans une de ces conjonctions instantanées qui sont les formes parfois les plus vives du bonheur de vivre, et de l'acceptation de mourir... Ces heureux moments où la mort vous apparaît comme un accident, sinon délibéré, du moins provoqué. Ces heureux moments où la mort est la rencontre inopinée de deux circonstances, et non pas la suite logique et inévitable d'un verbe intransitif... C'est comme si l'on passait la moitié de sa vie à essayer d'être sensible à l'existence d'autrui, et l'autre moitié à essayer d'être insensible à sa mort. Mais passons. Passons : nous parlons des chevaux.

Et pas forcément de ceux qui, à Naples, couverts de plumets, de cristaux, et harnachés comme des bêtes démoniaques, transportent dans leur cage de verre le cercueil en bois noir d'un défunt. D'ailleurs, il y eut un certain nombre d'histoires d'amour et de mort, dans la race chevaline, qui sont oubliées. J'ai toujours été fascinée, pour ma part, par deux histoires. La première est que Gladiateur, dont la statue s'élève à Longchamp et qui montre, sur son socle, une assurance et une allure exemplaires, fut, pendant des années, et en même temps, l'étalon le plus chaste, le plus difficile, l'«impuissant» le plus cher, comme le pur-sang le plus génial de son siècle. Gladiateur ne jetait pas un œil sur les sublimes juments qu'on lui amenait, l'une après l'autre, enfiévrées par les boute-en-train, emballées par sa beauté, fascinées par son allure. Rien n'y faisait. Jusqu'à ce qu'il rencontrât, en allant à l'entraînement, au détour d'une allée de ce même Longchamp, traînant un van couvert de feuilles mortes, et suivant des jardiniers distraits, une vieille et nonchalante jument, trois fois son âge, un passé inconnu — douteux, peut-être. Et ses lads, ahuris, virent Gladiateur, enfin debout, dressé dans toute la splendeur de sa virilité enfin visible, enfin évidente, enfin provoquée par autre chose qu'un sucre (là, je brode peut-être). En tout cas, Gladiateur tomba fou d'amour pour cette vieille, vieille, vieille jardinière. Gladiateur, semblable à un Marlon Brando... de trente ans, fou d'amour pour Pauline Carton!... Cela fit rire les lads, les emplit d'espoir sur-le-champ, mais pas longtemps, car Gladiateur retomba dans sa torpeur et son indifférence initiales, vexant la superbe jument qu'on lui amena aussitôt, tremblante d'émoi et de timidité. Il avait tout oublié de cet instinct tardif mais prometteur, dont l'absence faisait se rouler dans l'herbe, de fureur, les entraîneurs, les jockeys (les propriétaires n'en parlons pas!...), comme le public d'ailleurs, exaspéré et humilié, même, par cette défaillance considérée à l'époque comme si peu française. Hélas! Hélas! cette flambée s'avérait être un feu de paille, du moins le crut-on, jusqu'au moment où les jeux de l'amour et du haras le remirent en présence de la vieille jument et où il montra la même passion pour ce cas désespéré. Il fallut se l'avouer : Gladiateur était fou amoureux d'elle.

Que dire de plus ? Les chevaux heureux n'ont pas d'histoire. Eux se bornèrent à avoir des rejetons qui furent les plus grands et les plus beaux cracks du siècle. Et j'attends avec impatience que l'on ajoute, près de celle de l'étincelant Gladiateur, la sculpture de sa nonchalante et maigre compagne.

La seconde histoire, c'est Barbey d'Aurevilly qui aurait pu l'écrire. Dans les premiers temps, les courses se passaient entre gentilshommes anglais et français, à mi-chemin de Paris et de Londres, c'est-à-dire généralement cette plaine nommée Trouville sur laquelle ils venaient faire courir leurs champions. Le plus passionné, et d'ailleurs le promoteur — comme on dit maintenant — de Deauville, fut le duc de M... Or il paria un jour avec un gentleman anglais, lord X... (cette discrétion est décuplée chez moi par un oubli total du nom du gentilhomme, mais l'histoire est vraie), que son étalon Untel battrait le sien sur trois mille mètres, disons. La course eut lieu un dimanche. Le lord anglais était venu de Londres, il gagna une somme assez énorme pour l'époque, dans le genre quatre mille écus. (Là aussi ma mémoire est défaillante.) Le duc de M... paya naturellement aussitôt et dit à l'Anglais : «Bravo, vous avez gagné! Mais en revanche j'ai un hongre qui, lui, battrait n'importe lequel des vôtres.» «Pari tenu», dit l'Anglais. «Dans quinze jours», dit le Français.

Le pari était fort élevé et l'Anglais fort près de ses sous. N'ayant pas de cheval comparable à celui de M... il fit couper son bel étalon. Naturellement, quinze jours après, la plaie du cheval anglais n'était pas cicatrisée. Néanmoins il gagna. Il perdit du sang toute la course, mais arriva premier au poteau, où il mourut. L'horreur générale fut vite suivie par le dégoût. M... vint voir lord X..., lui paya ce qu'il lui devait et le provoqua en duel. Le lendemain matin il le tua.

Bien entendu, je ne souhaiterais pas d'histoires aussi sanglantes dans ce noble sport qu'est le turf. Mais je me demande, dans une époque où les vilenies, les accrocs à la décence, à l'honneur, à la simple humanité redoublent, si, châtiés de la

sorte par les témoins, leur nombre ne diminue-
rait pas!...

Pour rester sur les tapis verts des champs de
courses (pourquoi le vert est-il tellement relié à
la chance? Et pourquoi, dans ce cas, pourquoi les
théâtreux l'évitent-ils aussi soigneusement?
C'est un mystère). Pour en rester aux champs de
courses, donc, j'ai résisté longtemps à y jouer un
autre rôle que celui de témoin passif. D'abord il
y avait, contre, deux arguments de poids qui
étaient : un, le prix d'un cheval, d'un pur-sang, et
deuxièmement le prix de son picotin. Malgré la
salubrité de l'air, malgré la beauté du gazon,
malgré l'entrain, l'affabilité, et les relations d'égalité démocratique qui règnent entre les turfistes
de tout rang, malgré l'excitation des courses en
elles-mêmes et la beauté du spectacle, je résistai
vingt ans. Mais il y eut un printemps, à la fin des
années soixante-dix, un printemps si prometteur,
si débordant de promesses plutôt, sur le plan
matériel j'entends, que je craquai. Un printemps
débordant de chèques en fleurs. Je venais
d'achever une pièce dont la lecture avait tant
excité ses quelques lecteurs qu'ils voulaient la
monter dès septembre. Un producteur trouvait,

dans l'un de mes anciens romans, un sujet admirable pour un film, et, enfin, un journal japonais offrait une fortune pour une chronique bimensuelle. Grisée par cet avenir doré, je demandai à un entraîneur, célèbre fort justement pour son flair, Noël Pelat, de me trouver un cheval qui galope. La société d'encouragement de ce noble sport me donna fort courtoisement les couleurs les plus belles et les plus simples que je puisse rêver : casaque bleue, épaulettes noires, toque noire (ma disparition depuis quelques années du pesage aurait permis de les reprendre cent fois, mais ils ont eu la courtoisie de ne pas m'en aviser ou de ne pas le faire, je l'ignore, je ne veux pas le savoir. A moins que le même fol espoir ne les habite aussi ?). Car je l'avoue, c'est le seul luxe que je regrette parmi ceux que j'ai connus et que mon incurie, ma sottise, ma stupeur et mon incrédulité devant la patience nécessaire aux escrocs de tout rang m'ont retiré. Parmi les plaisirs qui exigent de l'argent, et que je n'ai plus, il y a celui, vraiment, de voir cette tache bleue et noire là-bas, au diable, en train de se déplacer à toute vitesse devant ou derrière un peloton, d'entendre la voix du speaker dire

«Hasty Flag reprend du terrain... Hasty Flag a remonté...», et celui de se dire à soi-même «pourvu que le terrain soit mou et pourvu qu'il pleuve toute la semaine» devant ses amis indignés. Oui, entre autres, tout cela je le regrette, et d'ailleurs je n'y ai pas renoncé.

Donc, cet été 79-80 passa comme un rêve jusqu'à un automne qui se révéla désastreux. Non seulement ma pièce fut un four, non seulement le producteur se désintéressa de mon livre, mais mon journal fut le seul, dans ces grasses années 79-80, et dans tout le Japon, à faire faillite.

Je rentrai la tête dans les épaules et partis pour le Lot où la vie n'est pas chère et où on pourrait m'oublier plus rapidement. Je commençais à me remettre lorsque mon entraîneur, un peu oublié au milieu des tempêtes précédentes, me téléphona qu'il avait trouvé exactement ce qu'il me fallait et à un prix raisonnable. Raisonnable, ce prix ne pouvait pas l'être, mais, bref, à force d'emprunts, de travaux baroques et subalternes, je finis par être propriétaire du nommé Hasty Flag, fils d'Herbager, qui galopait sur les pistes depuis déjà trois ans, en vain, mais comme disait mon entraîneur, il était fait pour sauter. Tout espoir nous était permis. De toute façon, je n'avais jamais eu dans ma vie qu'une patte par-ci, une patte par-là d'un cheval ami, ou plutôt du cheval d'un ami; ceux-ci, joignant leur estime pour leur animal à leur confiance éperdue dans ma chance intrinsèque, avaient longtemps rêvé de notre conjonction. Hélas, même si ma patte était plus rapide que les trois autres, elle n'arrivait pas à les entraîner, et cela n'avait rien donné. Là en revanche, j'étais seule détentrice de cette immense bête, belle, noire, aux manières urbaines, un peu distraites, d'une grande douceur et d'une grande nonchalance. Il s'avéra rapidement que s'il n'éprouvait aucune répugnance à courir avec ses copains, en revanche il ne voyait aucun motif pour les dépasser. Durant près d'un an, je m'habituai à voir ma belle casaque bleue, ma toque noire et mes épaulettes noires à la queue du peloton. Il faut dire que mes conseils à Hasty Flag avant la course, dans le box selon les conventions, n'étaient pas des plus excitants. « Ne va pas trop vite », lui disais-je. « Fais attention à toi, mieux vaut revenir entier et dernier que premier et blessé. Ne prends pas de risques... » etc., etc., conseils que je chuchotais, craignant le ridicule que cela m'eût attiré (conseils qui, il faut bien le dire, ne faisaient qu'étayer le sentiment personnel d'Hasty Flag quant à la vanité de toute compétition). Et n'eût été le prix, terrifiant à l'époque de sa pension, nous aurions vécu très heureux dans cette obscurité.

Je ne lui en ai voulu qu'une fois, dans un Grand Prix où, courant lui-même un accessit une demi-heure avant, il alla jusqu'à s'effondrer à la première haie, juste devant la loge élégante où j'avais été conviée. Il n'avait pas fait trente mètres. Je fus un peu vexée malgré tout. D'autant que, conscient peut-être de l'excès de sa nonchalance, il décida, après avoir déposé son jockey sur la piste, de retrouver son peloton, mais il partit non pas à sa suite mais à sa rencontre. Les hommes d'écurie durent lui courir après avant qu'il ne mette la pagaïe dans la course. Cela m'acheva. Et les égards et le silence, quant à mon crack, dans la loge où j'étais installée, ne pansèrent pas totalement mon orgueil.

Vint le printemps suivant, bien moins prometteur que le précédent mais qui serait de ce chef bien moins décevant, me disais-je pour me consoler. Entre autres ennuis, je me brouillai avec mon éditeur, pour des motifs plus matériels que littéraires, qui, du coup, suspendit mes mensualités et, donc, me coupa les vivres. Je me retrouvai sans un kopeck du jour au lendemain et incapable aussi de trouver un avocat sans lui donner quelque provision. Bref, c'est un peu accablée que je me rendis, un jour, avec un charmant ami alors, au Grand Prix de Haies de Printemps, doté de cent cinquante mille francs et où mon entraîneur, pris de paranoïa sans doute, avait inscrit notre Hasty Flag. J'allai débiter à celui-ci des conseils de prudence, sans trop de conviction vu ses tendances, et me rendis aux tribunes. Sa cote n'était pas fameuse mais Pelat avait l'air plus excité que d'habitude.

La Grande Course de Haies de Printemps se déroule sur quatre mille cinq cents mètres, ce qui est un très long parcours, avec de nombreux obstacles échelonnés. Aussi lorsque le speaker annonça qu'Hasty Flag avait pris la tête dès le début, je me résignai d'avance à la suite, comme l'impresario d'un coureur cycliste qui verrait son poulain attaquer en tête une étape dans les Alpes.

Néanmoins, après quinze cents mètres, et comme les chevaux étaient dans la longue ligne droite de l'autre côté du champ de courses, avec toute la rivière et les haies à passer, Pelat me donna ses jumelles ; et après y avoir vu danser le moulin, les immeubles et le ciel, j'y vis enfin Hasty Flag qui menait toujours, Hasty Flag qui augmentait son avance, comme disent les jockeys : Hasty Flag qui, avec sa casaque bleu et noir passait en trombe devant moi, passait la haie où il s'était effondré quelque temps avant et le poteau d'arrivée, pendant que dix inconnus survoltés embrassaient la personne décoiffée, enrouée et stupéfaite que j'étais.

Après ces effusions nous allâmes au Rond retrouver le vainqueur, et je l'embrassai, le cœur toujours à deux cents. Ah ! je me souviens encore d'Hasty Flag ! Comme il était beau, modeste, et brillant sous son écume dans le soleil. Comme il faisait beau et venteux, ce jour-là, à Auteuil. Et comme les turfistes étaient gentils. Et comme c'était vrai, tout à coup, que certains instants justifient tous les autres.

Pour des raisons que, seule, la raison peut comprendre, je l'ai déjà dit, je n'ai pas eu d'autre

Hasty Flag depuis, mais qui vivra... Encore faut-il vivre, bien sûr, me dira-t-on. Et, me dira-t-on aussi, on n'en n'est pas capable tous les jours. Bien sûr. Avec ou sans cheval.

L'année suivante, Hasty gagna pas mal de petites courses, moins importantes mais quand même très utiles. Je me souviens de l'une où j'arrivai juste avant, avec William Styron, l'écrivain américain, qui n'avait jamais été aux courses. Nous entrâmes, je le présentai à Hasty. Hasty courut devant nous, gagna cinquante mille francs, je crois, et, après que je l'eus félicité, regagna son box. Nous repartîmes aussitôt et Styron, enchanté, se tourna vers moi : «Je veux absolument avoir un cheval, dès que je rentre en Amérique! C'est épatant!» J'essayai en vain de lui expliquer les aléas possibles. Quant à Hasty, après avoir gagné quelques courses, il eut quelques ennuis à la jambe gauche, et je l'ai mis dans un haras. Nommé et diplômé étalon, il y coule des jours heureux, galope dans l'herbe verte et couvre de belles juments. De temps en temps, je rêve de lui.

Pour en finir avec les chevaux, la race chevaline, je déclarerai qu'il y a peu d'endroits plus charmants, le dimanche, à Paris ou ailleurs, qu'un bon café P.M.U. Dès onze heures et demie, c'est la réunion au sommet des turfistes du quartier, plus les deux ou trois étrangers inévitables venus d'arrondissements différents et lointains à la suite d'incidents qui ne regardent qu'eux, et qu'une solidarité naturelle fait accueillir par les joueurs du coin. D'abord, ils ont tous ce regard dilaté, imprudent et bizarrement calculateur des vrais turfistes, et, de onze heures à midi, ils échangent des pronostics formels ou des «tuyaux» si privés que n'importe quel boursier se verrait traîné en prison. Ce n'est plus le secret qui règne comme à la Bourse, ce n'est pas l'intrigue, la défiance, la manœuvre cachée, c'est au contraire: «Tiens! je le sais par Tony, dans la quatrième, c'est Machin qui va arriver! Les... doivent le monter avant lundi au plus haut.» «Tuyaux» qui sont informulables, illégaux, dans les Bourses des capitales autour de l'Opéra mais, au contraire, irrésistibles dans les bistrots de quartiers. Car on ne tient pas à gagner seul, au P.M.U. — alors que c'est primordial à la Bourse pour gagner plus. Le lucre est l'ambition de l'une,

210

l'orgueil est l'ambition de l'autre. Le turfiste crie ses succès, le boursier les cache. D'un côté il y a l'initié qui se félicite de ses manœuvres, de l'autre l'intuitif qui se félicite de sa chance. Et la chance est mille fois plus rassurante que l'habileté pour qui que ce soit : car, avec la chance, non seulement vous vous trouvez malin, mais les astres sont de votre avis.

D'où la gaieté latente des turfistes qui peuvent accuser le «mauvais sort» s'ils perdent et non pas leur intuition, et s'en féliciter s'ils gagnent. Tantôt contrecarré par le destin, tantôt adoré par la chance, le turfiste n'a pas les déceptions, les rancœurs, les échecs réels des boursiers. Et l'espoir est à la même aune : car un tiercé gagnant peut changer complètement la vie d'un turfiste, alors qu'une hausse à la Bourse ne peut qu'arrondir le magot d'un boursier.

L'atmosphère d'ailleurs est autrement gaie dans le café. Il faut que le patron y soit bonasse, sans passion d'ailleurs pour les courses, indulgent d'apparence avec ses clients, mais sans la moindre condescendance. Il faut que le préposé au P.M.U. soit discret, efficace, silencieux. Il faut que les joueurs aient du temps devant eux, surtout lorsqu'on sait que souvent, après avoir passé trois heures la veille dans *Week-end* ou *Paris-Turf* et y avoir choisi le deux, le quatre et le six, ils peuvent très bien le lendemain matin au café, sur les conseils d'un parfait inconnu, jouer à la place le trois, le neuf et le onze. Tant le turfiste sait tout possible... Tant le P.M.U. comble chez l'homme un refus du sérieux, du «décidé», de l'habituel, qui hélas, le reste du temps, régentent son existence... L'air est léger dans un bar P.M.U. le dimanche, d'une légèreté passionnée introuvable ailleurs. Ce n'est pas seulement la chance, le gain, les «coups», la réussite qui ravissent les turfistes : même s'ils ne s'en rendent pas vraiment compte, c'est parce que leur espoir, leur avenir, leur amusement et leur complicité sont représentés par un aussi beau, un aussi élégant et aussi rétif animal que le cheval.

TABLE DES MATIÈRES

Achevé d'imprimer en août 1994
sur les presses de l'Imprimerie Bussière
à Saint-Amand (Cher)

POCKET - 12, avenue d'Italie - 75627 Paris Cedex 13
Tél. : 44-16-05-00

— N° d'imp. 1895. —
Dépôt légal : août 1994.

Imprimé en France